COLLECTION FOLIO

Annie Ernaux

L'événement

Gallimard

Annie Ernaux a passé son enfance et sa jeunesse à Yvetot, en Normandie. Agrégée de lettres modernes, elle a été professeur au Centre national d'enseignement à distance. Elle vit dans le Val-d'Oise, à Cergy.

Mon double vœu : que l'événement devienne écrit. Et que l'écrit soit événement.

Michel Leiris

Qui sait si la mémoire ne consiste pas à regarder les choses jusqu'au bout.

Yûko Tsushima

Je suis descendue à Barbès. Comme la dernière fois, des hommes attendaient, groupés au pied du métro aérien. Les gens avançaient sur le trottoir avec des sacs roses de chez Tati. J'ai pris le boulevard de Magenta, reconnu le magasin Billy, avec des anoraks suspendus au-dehors. Une femme arrivait en face de moi, elle portait des bas noirs à gros motifs sur des jambes fortes. La rue Ambroise-Paré était presque déserte jusqu'aux abords de l'hôpital. J'ai suivi le long couloir voûté du pavillon Elisa. La première fois je n'avais pas remarqué un kiosque à musique, dans la cour qui longe le couloir vitré. Je me demandais comment je verrais tout cela après, en repartant. J'ai poussé la porte 15 et monté les deux étages. À l'accueil du service de dépistage, j'ai remis le carton où est inscrit mon numéro. La femme a fouillé dans un fichier et elle a sorti une pochette en papier kraft contenant des papiers. J'ai tendu la main mais elle ne me l'a pas donnée. Elle l'a posée sur le bureau et m'a dit d'aller m'asseoir, qu'on m'appellerait.

La salle d'attente est séparée en deux boxes contigus. J'ai choisi le plus proche de la porte du médecin, celle aussi où il y avait le plus de monde. J'ai commencé à corriger les copies que j'avais emportées. Juste après moi, une fille très jeune, blonde avec de longs cheveux, a tendu son numéro. J'ai vérifié qu'on ne lui donnait pas non plus sa pochette et qu'elle aussi serait appelée. Attendaient déjà, assis loin les uns des autres, un homme d'une trentaine d'années, vêtu mode et calvitie légère, un jeune Noir avec un walkman, un homme d'une cinquantaine d'années, au visage marqué, affaissé dans son siège. Après la fille blonde, un quatrième homme est arrivé, il s'est assis avec détermination, a sorti un livre de sa serviette. Puis un couple : elle, en caleçon, avec un ventre de grossesse, lui en costume cravate.

Sur la table, il n'y avait pas de journaux, seulement des prospectus sur la nécessité de manger des produits laitiers et « comment vivre sa séropositivité ». La femme du couple parlait à son compagnon, se levait, l'entourait de ses bras, le caressait. Il restait muet, immobile, les mains appuyées sur un parapluie. La fille blonde gardait les yeux baissés, presque fermés, son blouson de cuir plié sur ses genoux, elle paraissait pétrifiée. À ses pieds, il y avait un grand sac de voyage et un petit qui s'attache dans le dos. Je me suis demandé si elle avait plus de raisons que les autres d'avoir peur. Elle venait peut-être chercher son résultat avant de partir en week-end, ou de retourner chez ses parents en province. La docteure est sortie de son bureau, une jeune femme mince, pétulante, avec une jupe rose et des bas noirs. Elle a dit un numéro. Personne n'a bougé. C'était quelqu'un du box d'à côté, un garçon qui est passé rapidement, je n'ai vu que des lunettes et une queue-de-cheval.

Le jeune Noir a été appelé, puis des gens de l'autre box. Personne ne parlait ni ne bougeait, en dehors de la femme du couple. On levait seulement tous les yeux quand la docteure apparaissait à la porte de son bureau ou que quelqu'un en sortait. On le suivait du regard.

Le téléphone a sonné plusieurs fois, des rendez-vous ou des renseignements sur les horaires. Une fois, la femme de l'accueil est allée chercher un biologiste pour répondre à la personne qui appelait. Il a dit, puis répété, que « non, elle est en quantité normale, tout à fait normale ». Cela résonnait dans le silence. La personne au bout du fil était sûrement séropositive.

J'avais fini de corriger mes copies. Je revoyais continuellement la même scène, floue, d'un samedi et d'un dimanche de juillet, les mouvements de l'amour, l'éjaculation. C'était à cause de cette scène, oubliée pendant des mois, que je me trouvais ici. L'enlacement et la gesticulation des corps nus me paraissaient une danse de mort. Il me semblait que cet homme que j'avais accepté de revoir avec lassitude n'était venu d'Italie que pour me donner le sida. Pourtant, je n'arrivais pas à établir un rapport entre cela, les gestes, la tiédeur de la peau, du sperme, et le fait d'être là. J'ai pensé qu'il n'y aurait jamais aucun rapport entre le sexe et autre chose.

La docteure a appelé mon numéro. Avant même que je sois à l'intérieur du bureau, elle m'a souri largement. J'ai pris cela comme un bon signe. En refermant la porte, elle a dit très vite, « c'est négatif ». J'ai éclaté de rire. Ce qu'elle a dit ensuite dans l'entretien ne m'intéressait pas. Elle avait l'air joyeux et complice.

J'ai descendu l'escalier à toute vitesse, refait le trajet en sens inverse sans rien regarder. Je me disais que j'étais sauvée encore.

J'aurais voulu savoir si la fille blonde l'était aussi. À la station Barbès les gens entassés se faisaient face sur les quais, avec çà et là les taches roses des sacs Tati.

Je me suis rendu compte que j'avais vécu ce moment à Lariboisière de la même façon que l'attente du verdict du docteur N., en 1963, dans la même horreur et la même incrédulité. Ma vie se situe donc entre la méthode Ogino et le préservatif à un franc dans les distributeurs. C'est une bonne façon de la mesurer, plus sûre que d'autres, même.

Au mois d'octobre 1963, à Rouen, j'ai attendu pendant plus d'une semaine que mes règles arrivent. C'était un mois ensoleillé et tiède. Je me sentais lourde et moite dans mon manteau ressorti trop tôt, surtout à l'intérieur des grands magasins où j'allais flâner, acheter des bas, en attendant que les cours reprennent. En rentrant dans ma chambre, à la cité universitaire des filles, rue d'Herbouville, j'espérais toujours voir une tache sur mon slip. J'ai commencé d'écrire sur mon agenda tous les soirs, en majuscules et souligné : RIEN. La nuit je me réveillais, je savais aussitôt qu'il n'y avait « rien ». L'année d'avant, à la même époque, j'avais commencé d'écrire un roman, cela m'apparaissait très lointain et comme ne devant jamais se reproduire.

Un après-midi je suis allée au cinéma voir un film italien en noir et blanc, *Il posto*. C'était lent et triste, la vie d'un jeune garçon dans son premier emploi, une place de bureau. La salle était presque vide. En regardant la silhouette frêle, en imperméable, du petit employé, ses humiliations, devant la désolation sans espoir du film, je savais que mes règles ne reviendraient pas.

Un soir, je me suis laissé entraîner au théâtre par des filles de la cité, qui avaient un billet en trop. On jouait *Huis clos* et je n'avais jamais encore vu de pièce contemporaine. La salle était comble. Je voyais la scène, lointaine, violemment éclairée, en pensant sans arrêt que je n'avais pas mes règles. Je ne me souviens que du personnage d'Estelle, blonde en robe bleue, et du Garçon habillé en larbin, avec des yeux rouges et sans paupières. J'ai écrit dans l'agenda « Formidable. Si seulement je n'avais pas cette RÉALITÉ dans mes reins ».

Fin octobre, j'ai cessé de croire qu'elles pourraient revenir. J'ai pris rendez-vous chez un gynécologue, le docteur N., pour le 8 novembre.

Au week-end de la Toussaint, je suis re‑tournée comme d'habitude chez mes pa‑rents. J'avais peur que ma mère ne m'inter‑roge sur mon retard. J'étais sûre qu'elle sur‑veillait mes slips tous les mois en triant le linge sale que je lui apportais à laver.

Le lundi, je me suis levée avec l'estomac barbouillé et un goût bizarre dans la bouche. À la pharmacie, on m'a donné de l'Hepa‑toum, un liquide épais et vert qui m'écœu‑rait encore plus.

O., une fille de la cité, m'a proposé de faire à sa place des cours de français à l'insti‑tution Saint-Dominique. C'était une bonne occasion de gagner un peu d'argent en plus de ma bourse. La supérieure m'a reçue, le Lagarde et Michard du XVIᵉ siècle à la main. Je lui ai dit que je n'avais jamais enseigné et que cela m'effrayait. C'était normal, elle-même, pendant deux ans, n'avait jamais pu entrer dans sa classe de philosophie que la tête baissée, le regard au sol. Assise sur une chaise en face de moi, elle mimait ce souvenir. Je ne voyais plus que son crâne voilé. En sortant avec le Lagarde et Michard qu'elle m'avait prêté, je me suis vue dans la classe de seconde sous les regards des filles et j'ai eu envie de vomir. Le lendemain, j'ai téléphoné à la supérieure pour refuser les cours. Elle m'a dit sèchement de rapporter le manuel.

Le vendredi 8 novembre, alors que je me dirigeais vers la place de l'Hôtel-de-Ville pour prendre un bus et me rendre chez le docteur N., rue La Fayette, j'ai rencontré Jacques S., un étudiant en lettres, fils d'un directeur d'usine de la région. Il voulait savoir ce que j'allais faire rive gauche. J'ai répondu que j'avais mal à l'estomac et que je consultais un stomatologue. Il m'a reprise catégoriquement : le stomatologue ne soigne pas l'estomac mais les infections de la bouche. Craignant qu'il ne soupçonne quelque chose en raison de ma bourde et qu'il ne veuille m'accompagner jusqu'à la porte du médecin, je l'ai quitté brusquement à l'arrivée du bus.

Juste au moment où je descendais de la table, mon gros pull vert retombant sur mes cuisses, le gynécologue m'a dit que j'étais sûrement enceinte. Ce que je prenais pour un mal à l'estomac était la nausée. Il m'a tout de même prescrit des piqûres pour faire revenir les règles mais il n'avait pas l'air de croire qu'elles auraient de l'effet. Sur le pas de la porte, il souriait jovialement, « les enfants de l'amour sont toujours les plus beaux ». C'était une phrase affreuse.

Je suis rentrée à pied à la cité universitaire. Dans l'agenda, il y a : « Je suis enceinte. C'est l'horreur. »

Début octobre, j'avais fait l'amour plusieurs fois avec P., un étudiant de sciences politiques que j'avais rencontré pendant les vacances et que j'étais allée revoir, à Bordeaux. Je me savais dans une période à risques, selon le calendrier Ogino de contrôle des naissances, mais je ne croyais pas que « ça puisse prendre » à l'intérieur de mon ventre. Dans l'amour et la jouissance, je ne me sentais pas un corps intrinsèquement différent de celui des hommes.

Toutes les images de mon séjour à Bordeaux — la chambre cours Pasteur avec le bruit incessant des voitures, le lit étroit, la terrasse du Montaigne, le cinéma où l'on avait vu un péplum, *L'enlèvement des Sabines* — n'ont plus eu qu'une seule signification : j'étais là et je ne savais pas que j'étais en train de devenir enceinte.

L'infirmière du Crous m'a fait une piqûre le soir, sans commentaires, et une autre le lendemain matin. C'était le week-end du 11 novembre. Je suis retournée chez mes parents. À un moment, j'ai eu un rapide et bref écoulement de sang rosâtre. J'ai déposé le slip et le pantalon de toile tachés sur le tas de linge sale, bien en évidence. (Agenda : « Un épanchement sans suite. De quoi donner le change à ma mère. ») De retour à Rouen, j'ai téléphoné au docteur N. qui m'a confirmé mon état et annoncé qu'il m'envoyait mon certificat de grossesse. Je l'ai reçu le lendemain. Accouchement de : *Mademoiselle Annie Duchesne*. Prévu le : *8 juillet 1964.* J'ai vu l'été, le soleil. J'ai déchiré le certificat.

J'ai écrit à P. que j'étais enceinte et que je ne voulais pas le garder. Nous nous étions quittés incertains sur la suite de notre relation et j'éprouvais de la satisfaction à troubler son insouciance, même si je n'avais aucune illusion sur le profond soulagement que lui causerait ma décision d'avorter.

Une semaine après, Kennedy a été assassiné à Dallas. Mais ce n'était déjà plus quelque chose qui pouvait m'intéresser.

Les mois qui ont suivi baignent dans une lumière de limbes. Je me vois dans les rues en train de marcher continuellement. À chaque fois que j'ai pensé à cette période, il m'est venu en tête des expressions littéraires telles que « la traversée des apparences », « par-delà le bien et le mal », ou encore « le voyage au bout de la nuit ». Cela m'a toujours paru correspondre à ce que j'ai vécu et éprouvé alors, quelque chose d'indicible et d'une certaine beauté.

Depuis des années, je tourne autour de cet événement de ma vie. Lire dans un roman le récit d'un avortement me plonge dans un saisissement sans images ni pensées, comme si les mots se changeaient instantanément en sensation violente. De la même façon, entendre par hasard *La javanaise, J'ai la mémoire qui flanche*, n'importe quelle chanson qui m'a accompagnée durant cette période, me bouleverse.

Il y a une semaine que j'ai commencé ce récit, sans aucune certitude de le poursuivre. Je voulais seulement vérifier mon désir d'écrire là-dessus. Un désir qui me traversait continuellement à chaque fois que j'étais en train d'écrire le livre auquel je travaille depuis deux ans. Je résistais sans pouvoir m'empêcher d'y penser. M'y abandonner me semblait effrayant. Mais je me disais aussi que je pourrais mourir sans avoir rien fait de cet événement. S'il y avait une faute, c'était celle-là. Une nuit, j'ai rêvé que je tenais entre les mains un livre que j'avais écrit sur mon avortement, mais on ne pouvait le trouver nulle part en librairie et il n'était mentionné dans aucun catalogue. Au bas de la couverture, en grosses lettres, figurait ÉPUISÉ. Je ne savais pas si ce rêve signifiait que je devais écrire ce livre ou s'il était inutile de le faire.

Avec ce récit, c'est du temps qui s'est mis en marche et qui m'entraîne malgré moi. Je sais maintenant que je suis décidée à aller jusqu'au bout, quoi qu'il arrive, de la même façon que je l'étais, à vingt-trois ans, quand j'ai déchiré le certificat de grossesse.

Je veux m'immerger à nouveau dans cette période de ma vie, savoir ce qui a été trouvé là. Cette exploration s'inscrira dans la trame d'un récit, seul capable de rendre un événement qui n'a été que du temps au-dedans et au-dehors de moi. Un agenda et un journal intime tenus pendant ces mois m'apporteront les repères et les preuves nécessaires à l'établissement des faits. Je m'efforcerai par-dessus tout de descendre dans chaque image, jusqu'à ce que j'aie la sensation physique de la « rejoindre », et que quelques mots surgissent, dont je puisse dire, « c'est ça ». D'entendre à nouveau chacune de ces phrases, indélébiles en moi, dont le sens devait être alors si intenable, ou à l'inverse si consolant, que les penser aujourd'hui me submerge de dégoût ou de douceur.

Que la forme sous laquelle j'ai vécu cette expérience de l'avortement — la clandestinité — relève d'une histoire révolue ne me semble pas un motif valable pour la laisser enfouie — même si le paradoxe d'une loi juste est presque toujours d'obliger les anciennes victimes à se taire, au nom de « c'est fini tout ça », si bien que le même silence qu'avant recouvre ce qui a eu lieu. C'est justement parce que aucune interdiction ne pèse plus sur l'avortement que je peux, écartant le sens collectif et les formules nécessairement simplifiées, imposées par la lutte des années soixante-dix — « violence faite aux femmes », etc. —, affronter, dans sa réalité, cet événement *inoubliable*.

Dr. Sont punis de prison et d'amende 1) l'auteur de manœuvres abortives quelconques ; 2) les médecins, sages-femmes, pharmaciens, et coupables d'avoir indiqué ou favorisé ces manœuvres ; 3) la femme qui s'est fait avorter elle-même ou qui y a consenti ; 4) la provocation à l'avortement et la propagande anticonceptionnelle. L'interdiction de séjour peut en outre être prononcée contre les coupables, sans compter, pour ceux de la 2ᵉ catégorie, la privation définitive ou temporaire d'exercer leur profession.

Nouveau Larousse Universel,
édition de 1948.

Le temps a cessé d'être une suite insensible de jours, à remplir de cours et d'exposés, de stations dans les cafés et à la bibliothèque, menant aux examens et aux vacances d'été, à l'avenir. Il est devenu une chose informe qui avançait à l'intérieur de moi et qu'il fallait détruire à tout prix.

J'allais aux cours de littérature et de sociologie, au restau U, je buvais des cafés midi et soir à la Faluche, le bar réservé aux étudiants. Je n'étais plus dans le même monde. Il y avait les autres filles, avec leurs ventres vides, et moi.

Pour penser ma situation, je n'employais aucun des termes qui la désignent, ni « j'attends un enfant », ni « enceinte », encore moins « grossesse », voisin de « grotesque ». Ils contenaient l'acceptation d'un futur qui n'aurait pas lieu. Ce n'était pas la peine de nommer ce que j'avais décidé de faire disparaître. Dans l'agenda, j'écrivais : « ça », « cette chose-là », une seule fois « enceinte ».

Je passais de l'incrédulité que cela m'arrive, à moi, à la certitude que cela devait forcément m'arriver. Cela m'attendait depuis la première fois que j'avais joui sous mes draps, à quatorze ans, n'ayant jamais pu, ensuite — malgré des prières à la Vierge et différentes saintes —, m'empêcher de renouveler l'expérience, rêvant avec persistance que j'étais une pute. Il était même miraculeux que je ne me sois pas trouvée plus tôt dans cette situation. Jusqu'à l'été précédent, j'avais réussi au prix d'efforts et d'humiliations — être traitée de salope et d'allumeuse — à ne pas faire l'amour complètement. Je n'avais finalement dû mon salut qu'à la violence d'un désir qui, s'accommodant mal des limites du flirt, m'avait conduite à redouter jusqu'au simple baiser.

J'établissais confusément un lien entre ma classe sociale d'origine et ce qui m'arrivait. Première à faire des études supérieures dans une famille d'ouvriers et de petits commerçants, j'avais échappé à l'usine et au comptoir. Mais ni le bac ni la licence de lettres n'avaient réussi à détourner la fatalité de la transmission d'une pauvreté dont la fille enceinte était, au même titre que l'alcoolique, l'emblème. J'étais rattrapée par le cul et ce qui poussait en moi c'était, d'une certaine manière, l'échec social.

Je n'éprouvais aucune appréhension à l'idée d'avorter. Cela me paraissait, sinon facile, du moins faisable, et ne nécessitant aucun courage particulier. Une épreuve ordinaire. Il suffisait de suivre la voie dans laquelle une longue cohorte de femmes m'avait précédée. Depuis l'adolescence, j'avais accumulé des récits, lus dans des romans, apportés par la rumeur du quartier dans les conversations à voix basse. J'avais acquis un savoir vague sur les moyens à utiliser, l'aiguille à tricoter, la queue de persil, les injections d'eau savonneuse, l'équitation — la meilleure solution consistant à trouver un médecin dit « marron » ou une femme au joli nom, une « faiseuse d'anges », l'un et l'autre très coûteux mais je n'avais aucune idée des tarifs. L'année d'avant, une jeune femme divorcée m'avait raconté qu'un médecin de Strasbourg lui avait fait passer un enfant, sans me donner de détails, sauf, « j'avais tellement mal que je me cramponnais au lavabo ». J'étais prête à me cramponner moi aussi au lavabo. Je ne pensais pas que je puisse en mourir.

Trois jours après avoir déchiré le certificat de grossesse, j'ai rencontré dans la cour de la fac Jean T., un étudiant marié et salarié pour qui, deux ans auparavant, j'avais pris en double un cours sur Victor Hugo auquel il ne pouvait assister. Sa parole fougueuse et ses idées révolutionnaires me convenaient. Nous sommes allés boire un pot place de la Gare, au Métropole. À un moment, je lui ai dit sous une forme détournée que j'étais enceinte, sans doute parce que je pensais qu'il pourrait m'aider. Je savais qu'il était dans une association semi-clandestine luttant pour la liberté de la contraception, le Planning familial, et j'imaginais peut-être un secours de ce côté-là.

Instantanément, il lui est venu un air de curiosité et de jouissance, comme s'il me voyait les jambes écartées, le sexe offert. Peut-être trouvait-il aussi son plaisir dans la subite transformation de la bonne étudiante d'hier en fille aux abois. Il voulait savoir de qui j'étais enceinte, depuis quand. Il était la première personne à qui je parlais de ma situation. Même s'il n'avait pour le moment aucune solution à m'offrir, sa curiosité était une protection. Il m'a proposé de m'emmener dîner chez lui, dans la banlieue de Rouen. Je n'avais pas envie de me retrouver seule dans ma chambre de la cité.

Quand nous sommes arrivés, sa femme donnait à manger à leur enfant, installé dans une chaise haute. Jean T. lui a dit brièvement que j'avais des ennuis. Un ami est arrivé. Après avoir couché l'enfant, elle nous a servi du lapin avec des épinards. La couleur verte sous les morceaux de lapin me donnait mal au cœur. Je pensais que l'année prochaine je ressemblerais à la femme de Jean si je ne me faisais pas avorter. Après le dîner, elle est partie avec l'ami chercher quelque part du matériel pour l'école où elle était institutrice et j'ai commencé de laver la vaisselle avec Jean T. Il m'a prise dans ses bras et dit que nous avions le temps de faire l'amour. Je me suis dégagée et j'ai continué de laver les assiettes. L'enfant pleurait dans la chambre à côté, j'avais envie de vomir. Jean T. me pressait par-derrière tout en essuyant la vaisselle. Brusquement, il a repris son ton habituel et il a prétendu qu'il avait voulu mesurer ma force morale. Sa femme est rentrée et ils m'ont proposé de rester. Il était tard, ni l'un ni l'autre ne devait avoir le courage de me reconduire. J'ai dormi sur un matelas pneumatique dans le séjour. Le lendemain matin, j'ai retrouvé ma chambre de la cité d'où j'étais partie la veille, en début d'après-midi, avec mes affaires de cours. Le lit n'était pas défait, tout était pareil et presque une journée s'était écoulée. C'est à ce genre de détail qu'on mesure le début du désordre dans sa vie.

Je n'estimais pas que Jean T. m'avait traitée avec mépris. Pour lui, j'étais passée de la catégorie des filles dont on ne sait pas si elles acceptent de coucher à celle des filles qui, de façon indubitable, ont déjà couché. Dans une époque où la distinction entre les deux importait extrêmement et conditionnait l'attitude des garçons à l'égard des filles, il se montrait avant tout pragmatique, assuré en outre de ne pas me mettre enceinte puisque je l'étais déjà. C'était un épisode déplaisant mais de toute façon négligeable au regard de mon état. Il m'avait promis de chercher une adresse de médecin et je n'avais personne d'autre.

Deux jours plus tard, je l'ai revu à son bureau et il m'a emmenée manger dans une brasserie sur les quais, près de la gare routière, dans un quartier démoli pendant la guerre, reconstruit en béton, où je n'allais jamais. Je commençais à traîner, à sortir de l'espace et des lieux dans lesquels j'évoluais habituellement aux mêmes heures, avec les autres étudiants. Il a commandé des sandwiches. Sa fascination ne diminuait pas. Il m'a dit en riant qu'il pourrait me poser une sonde avec des copains. Je n'étais pas sûre qu'il plaisantait. Il m'a parlé ensuite des B., un couple marié dont la femme avait eu un avortement deux ou trois ans auparavant. « Elle a failli en crever d'ailleurs. » Il n'avait pas l'adresse des B. mais je pourrais contacter L.B. dans le journal où elle travaillait comme pigiste. Je la connaissais de vue, pour avoir suivi avec elle un cours de philologie, une fille petite et brune, avec de grosses lunettes, d'aspect sévère. Lors d'un exposé, elle avait reçu un vif éloge du prof. Qu'une fille comme elle ait eu un avortement me rassurait.

Ses sandwiches finis, Jean T. s'est étalé

dans sa chaise en souriant de toutes ses dents écartées : « C'est bon de manger. » J'avais mal au cœur et je me suis sentie seule. Je commençais à comprendre qu'il n'avait pas envie de trop s'impliquer dans cette affaire. Les filles qui voulaient avorter n'entraient pas dans le cadre moral fixé par le Planning familial auquel il appartenait. Ce qu'il désirait, c'était rester aux premières loges et continuer de savoir la suite de mon histoire. Quelque chose comme tout voir et rien payer : il m'avait prévenue qu'en tant que membre d'une association militant en faveur de la maternité désirée, il ne pourrait pas « moralement » me prêter de l'argent pour avorter clandestinement. (Dans l'agenda « Mangé avec T. sur les quais. Les problèmes s'amoncellent ».)

La quête a commencé. Il fallait que je trouve L.B. Son mari, que j'avais souvent vu au restau distribuer des tracts, ne semblait plus y venir. Midi et soir, je parcourais les salles, je me postais dans le hall en face de la porte.

Deux soirs de suite, j'ai attendu L.B. devant *Paris-Normandie*. Je n'osais pas entrer et demander si elle était déjà arrivée. J'avais peur qu'on trouve ma démarche suspecte et plus encore de déranger L.B. sur son lieu de travail pour quelque chose dont elle avait failli crever. Le second soir, il pleuvait, j'étais seule dans la rue, sous mon parapluie, lisant machinalement les feuilles du journal punaisées dans le panneau grillagé contre le mur, regardant alternativement les deux bouts de la rue de l'Hôpital. L.B. était quelque part dans Rouen, elle était la seule femme qui pouvait me sauver et elle ne venait pas. De retour à la cité, dans mon agenda « Attendu encore L.B. sous la pluie. Absente. Je suis désespérée. Il faut que cette chose-là parte ».

Je n'avais aucun indice, aucune piste.

Si beaucoup de romans évoquaient un avortement, ils ne fournissaient pas de détails sur la façon dont cela s'était exactement passé. Entre le moment où la fille se découvrait enceinte et celui où elle ne l'était plus, il y avait une ellipse. À la bibliothèque j'ai cherché dans le fichier au mot « avortement ». Les références ne concernaient que des revues médicales. J'en ai sorti deux, *Les archives médico-chirurgicales* et *La revue d'immunologie.* J'espérais trouver des renseignements pratiques mais les articles ne parlaient que des suites de l'« avortement criminel », et celles-ci ne m'intéressaient pas.

(Ces noms et les cotes, *Per m 484, n°s 5 et 6, Norm. Mm 1065,* figurent sur la page de garde de mon carnet d'adresses de cette époque. Je regarde ces traces gribouillées au stylo à bille bleu avec un sentiment d'étrangeté et de fascination, comme si ces preuves matérielles détenaient, de façon opaque et indestructible, une réalité que ni la mémoire ni l'écriture, en raison de leur instabilité, ne me permettront d'atteindre.)

Un après-midi, je suis partie de la cité avec l'intention de découvrir un médecin qui accepterait de m'avorter. Cet être-là devait bien exister quelque part. Rouen était devenue une forêt de pierres grises. Je scrutais les plaques dorées, me demandant qui je trouverais derrière. Je ne me décidais pas à sonner. J'attendais un signe.

Je me suis dirigée vers le quartier de Martainville, m'imaginant que, dans ce quartier pauvre, un peu zone, les médecins devaient être plus compréhensifs.

Il faisait un soleil pâle de novembre. J'avançais avec, dans la tête, le refrain d'une chanson qu'on entendait sans arrêt, *Dominique nique nique,* chantée par une religieuse dominicaine qui s'accompagnait à la guitare, Sœur Sourire. Les paroles étaient édifiantes et naïves — Sœur Sourire ne connaissait pas le sens de *niquer* —, mais la musique joyeuse et dansante. Cela me donnait du courage dans ma recherche. Je suis arrivée place Saint-Marc, des étals de marché étaient empilés. Je voyais au fond le magasin de meubles Froger, où j'étais venue petite fille, avec ma mère, pour acheter une armoire. Je ne regardais même plus les plaques sur les portes, j'étais dans une errance sans but.

(Dans *Le Monde*, il y a une dizaine d'années, j'ai appris le suicide de Sœur Sourire. Le journal racontait qu'après le succès immense de *Dominique*, elle avait connu toutes sortes de déboires avec son ordre religieux, l'avait quitté, s'était mise à vivre avec une femme. Peu à peu, elle avait cessé de chanter et elle était tombée dans l'oubli. Elle buvait. Ce résumé m'a bouleversée. Il m'a semblé que c'était la femme en rupture de la société, la défroquée plus ou moins lesbienne, alcoolique, celle qu'elle ne se savait pas devenir un jour, qui m'avait accompagnée dans les rues de Martainville quand j'étais seule et perdue. Nous avions été unies par une déréliction simplement décalée dans le temps. Et cet après-midi-là, j'avais dû mon courage de vivre à la chanson d'une femme qui, plus tard, se perdrait jusqu'à en mourir. J'ai violemment espéré qu'elle ait tout de même été un peu heureuse et que, les soirs de whisky, connaissant maintenant le sens du mot, elle ait pensé que les bonnes sœurs, finalement, elle les avait bien niquées.

Sœur Sourire fait partie de ces femmes, jamais rencontrées, mortes ou vivantes, réelles ou non, avec qui, malgré toutes les différences, je me sens quelque chose de commun. Elles forment en moi une chaîne invisible où se côtoient des artistes, des écrivaines, des héroïnes de roman et des femmes de mon enfance. J'ai l'impression que mon histoire est en elles.)

Comme la plupart des cabinets de médecins, dans les années soixante, celui du généraliste du boulevard de l'Yser, près de la place Beauvoisine, ressemblait à un salon bourgeois, avec des tapis, une bibliothèque vitrée et un bureau de style. Impossible de dire pourquoi je m'étais rabattue dans ce beau quartier, où habitait le député de droite, André Marie. Il faisait nuit et peut-être ne voulais-je pas rentrer sans avoir rien tenté. Un médecin plutôt âgé m'a accueillie. Je lui ai dit que j'étais fatiguée et que je n'avais plus mes règles. Après m'avoir auscultée avec un doigt en caoutchouc, il a déclaré que j'étais sûrement enceinte. Je n'ai pas osé lui demander de m'avorter, je l'ai seulement supplié de me faire revenir les règles, à tout prix. Il n'a pas répondu et, sans me regarder, il s'est lancé dans la diatribe habituelle contre les hommes qui abandonnent les filles après avoir pris leur plaisir. Il m'a prescrit des ampoules de calcium et des piqûres d'œstradiol. Il s'est radouci à la fin en apprenant que j'étais étudiante et il m'a

44

demandé si je connaissais Philippe D., le fils d'un de ses amis. Je le connaissais en effet, un brun avec des lunettes, style catho vieux jeu, avec qui j'étais en cours de latin, la première année de fac, et qui était parti à Caen. Je me souviens d'avoir pensé que ce n'était pas le genre dont j'aurais pu être enceinte. « C'est un très gentil garçon, n'est-ce pas ? » Le docteur souriait et il a paru heureux de mon approbation. Il avait oublié pourquoi j'étais là. Quand il m'a raccompagnée à la porte, il paraissait soulagé. Il ne m'a pas dit de revenir.

Les filles comme moi gâchaient la journée des médecins. Sans argent et sans relations — sinon elles ne seraient pas venues échouer à l'aveuglette chez eux —, elles les obligeaient à se rappeler la loi qui pouvait les envoyer en prison et leur interdire d'exercer pour toujours. Ils n'osaient pas dire la vérité, qu'ils n'allaient pas risquer de tout perdre pour les beaux yeux d'une demoiselle assez stupide pour se faire mettre en cloque. À moins qu'ils n'aient sincèrement préféré mourir plutôt que d'enfreindre une loi qui laissait mourir des femmes. Mais tous devaient penser que, même si on les empêchait d'avorter, elles trouveraient bien un moyen. En face d'une carrière brisée, une aiguille à tricoter dans le vagin ne pesait pas lourd.

J'ai dû faire un effort pour sortir du soleil d'hiver de la place Saint-Marc, à Rouen, de la chanson de Sœur Sourire et même du cabinet feutré du docteur dont j'ai oublié le nom, boulevard de l'Yser. Pour échapper à l'enlisement des images et saisir cette réalité invisible, abstraite, absente du souvenir, et qui pourtant me jetait dans la rue à la recherche d'un improbable médecin : la loi.

Elle était partout. Dans les euphémismes et les litotes de mon agenda, les yeux protubérants de Jean T., les mariages dits forcés, *Les parapluies de Cherbourg*, la honte de celles

46

qui avortaient et la réprobation des autres. Dans l'impossibilité absolue d'imaginer qu'un jour les femmes puissent décider d'avorter librement. Et, comme d'habitude, il était impossible de déterminer si l'avortement était interdit parce que c'était mal, ou si c'était mal parce que c'était interdit. On jugeait par rapport à la loi, on ne jugeait pas la loi.

Je ne croyais pas que les piqûres du médecin feraient de l'effet mais je voulais tout essayer. Craignant que l'infirmière du Crous n'ait des soupçons, j'ai demandé à une étudiante en médecine que je voyais souvent au restau si elle pouvait me les faire. C'est une autre étudiante qu'elle a envoyée le soir dans ma chambre, une blonde, très jolie, à l'aise. À la voir, j'ai mesuré que j'étais en train de devenir une pauvre fille. Elle m'a fait la piqûre sans poser de questions. Le lendemain, comme aucune des deux n'était disponible, je me suis assise sur le lit et je me suis enfoncé moi-même l'aiguille dans la cuisse en fermant les yeux. (Dans l'agenda : « Deux piqûres et pas d'effet. ») Plus tard, j'apprendrai que le médecin du boulevard de l'Yser m'avait prescrit un médicament utilisé pour empêcher les fausses couches.

(Je sens que le récit m'entraîne et impose, à mon insu, un sens, celui du malheur en marche inéluctablement. Je m'oblige à résister au désir de dévaler les jours et les semaines, tâchant de conserver par tous les moyens — la recherche et la notation des détails, l'emploi de l'imparfait, l'analyse des faits — l'interminable lenteur d'un temps qui s'épaississait sans avancer, comme celui des rêves.)

Je continuais d'aller aux cours, à la bibliothèque. J'avais choisi pendant l'été, avec enthousiasme, un sujet de mémoire portant sur la femme dans le surréalisme. Maintenant il ne me paraissait pas plus intéressant que la coordination en ancien français ou les métaphores dans l'œuvre de Chateaubriand. Je lisais avec indifférence les textes d'Eluard, de Breton et d'Aragon, célébrant des femmes abstraites, médiatrices entre l'homme et le cosmos. Çà et là, je notais une phrase qui se rapportait à mon sujet. Mais je ne savais rien faire des notes que j'avais prises et je me sentais incapable de remettre au prof le plan et le premier chapitre qu'il m'avait réclamés. Relier des connaissances entre elles et les intégrer dans une construction cohérente était au-dessus de mes forces.

Depuis mes études secondaires, je jouais plutôt bien avec les concepts. Le caractère artificiel des dissertations et autres travaux universitaires ne m'échappait pas mais je tirais une certaine fierté de m'y montrer habile et il me semblait que c'était le prix à payer pour « être dans les livres », comme disaient mes parents, et leur consacrer mon avenir.

Maintenant, le « ciel des idées » m'était devenu inaccessible, je me traînais au-dessous avec mon corps embourbé dans la nausée. Tantôt j'espérais être de nouveau capable de réfléchir après que je serais débarrassée de mon problème, tantôt il me semblait que l'acquis intellectuel était en moi une construction factice qui s'était écroulée définitivement. D'une certaine façon, mon incapacité à rédiger mon mémoire était plus effrayante que ma nécessité d'avorter. Elle était le signe indubitable de ma déchéance invisible. (Dans mon agenda : « Je n'écris plus, je ne travaille plus. Comment sortir de là. ») J'avais cessé d'être « intellectuelle ». Je ne sais si ce sentiment est répandu. Il cause une souffrance indicible.

(Impression fréquente encore de ne pas aller assez loin dans l'exploration des choses, comme si j'étais retenue par quelque chose de très ancien, lié au monde des travailleurs manuels dont je suis issue qui redoutait le « cassement de tête », ou à mon corps, à ce souvenir-là dans mon corps.)

Chaque matin, au réveil, je croyais que la nausée était partie et à l'instant même où je pensais cela, je la sentais affluer en une marée insidieuse. Le désir et le dégoût de la nourriture ne me lâchaient pas. Un jour, en passant devant une charcuterie, j'ai vu des cervelas. Je suis entrée pour en acheter un que j'ai dévoré aussitôt sur le trottoir. Une autre fois, j'ai supplié un garçon de m'offrir un jus de raisin dont j'avais tellement envie qu'il me semble que j'aurais fait n'importe quoi pour l'avoir. Rien qu'à les voir, certains aliments me répugnaient, d'autres, agréables à l'œil, se décomposaient dans ma bouche, révélant leur future putréfaction.

Un matin où j'attendais avec d'autres étudiants la fin d'un cours pour pénétrer dans une salle, les silhouettes se sont dissoutes brusquement en points brillants. Je n'ai eu que le temps de m'asseoir sur les marches de l'escalier.

Je notais dans l'agenda : « Malaises constants. » — « À 11 heures, dégoût à la B.M. [bibliothèque municipale]. » — « Je suis toujours malade. »

Dans ma première année de fac, certains garçons m'avaient fait rêver, à leur insu. Je les traquais, m'asseyant non loin d'eux dans l'amphi, repérant l'heure à laquelle ils venaient au restau, à la bibliothèque. Ces romances imaginaires me semblaient appartenir à un temps lointain, sans gravité, presque un temps de petite fille.

Sur une photo du mois de septembre précédent, je suis assise, les cheveux sur les épaules, très bronzée, un foulard dans l'échancrure d'un chemisier à rayures, souriante, *mutine*. À chaque fois que je l'ai regardée, j'ai pensé que c'était ma dernière photo de jeune fille, évoluant dans l'ordre invisible, et perpétuellement présent, de la séduction.

Lors d'une soirée à la Faluche où je m'étais rendue avec des filles de la cité, j'ai éprouvé du désir pour le garçon, blond et doux, avec qui je dansais continuellement depuis le début. C'était la première fois depuis que je me savais enceinte. Rien n'empêchait donc un sexe de se tendre et de s'ouvrir, même quand il y avait déjà dans le ventre un embryon qui recevrait sans broncher une giclée de sperme inconnu. Dans l'agenda, « Dansé avec un garçon romantique, mais je n'ai pas pu faire quoi que ce soit ».

Tous les propos me paraissaient puérils ou futiles. L'habitude, chez certaines filles, de raconter leur vie quotidienne par le menu m'était insupportable. Un matin, à la bibliothèque, est venue s'installer à côté de moi une fille originaire de Montpellier, avec qui j'avais suivi le cours de philologie. Elle m'a décrit en détail son nouvel appartement rue Saint-Maur, sa logeuse, le linge séchant dans l'entrée, son travail de prof dans un cours privé, rue Beauvoisine, etc. Cette description minutieuse et contente de son univers me paraissait folle et obscène. Il me semble avoir retenu toutes les choses que cette fille m'a dites ce jour-là, dans son accent du Midi — sans doute en raison même de leur insignifiance, qui avait alors pour moi un sens terrifiant, celui de mon exclusion du monde normal.

(Depuis que j'ai commencé d'écrire sur cet événement, j'essaie de ramener au jour le plus possible de visages et de noms d'étudiants au milieu desquels j'évoluais et que, à l'exception de deux ou trois, je n'ai jamais revus depuis mon départ de Rouen, l'année suivante. Sortis un à un de l'oubli, ils se replacent spontanément dans les lieux où je les croisais habituellement, la fac de lettres, le restau U, la Faluche, la bibliothèque municipale, le quai de la gare où ils s'agglutinaient le vendredi soir dans l'attente du train qui les remportait dans les familles. Une foule ressuscite, dans laquelle je suis prise. C'est elle qui, plus que mes souvenirs personnels, me redonne mon être de vingt-trois ans — me fait comprendre à quel point j'étais immergée dans le milieu étudiant. Et ces noms et ces visages m'expliquent mon désarroi : par rapport à eux, à ce monde de référence, j'étais devenue intérieurement une délinquante.

Je m'interdis d'écrire ici ces noms parce que ce ne sont pas des personnages fictifs mais des êtres réels. Pourtant je n'arrive pas à croire qu'ils existent quelque part. En un sens, j'ai sans doute raison : la forme sous laquelle ils vivent maintenant — leur corps, leurs idées, leur compte en banque — n'a rien à voir avec celle qui était la leur dans les années soixante, celle que je vois en écrivant. Quand l'envie me prend de chercher ces noms dans l'annuaire du Minitel, je sens aussitôt mon erreur.)

Le samedi, je retournais chez mes parents. La dissimulation de ma situation ne me coûtait pas, ressortissant à l'état normal de nos relations depuis mon adolescence. Ma mère appartenait à la génération d'avant-guerre, celle du péché et de la honte sexuelle. J'étais sûre que ses croyances étaient intangibles et ma capacité à les endurer n'avait d'égale que la sienne à se persuader que je les partageais. Comme la plupart des parents, les miens s'imaginaient détecter infailliblement au premier coup d'œil le moindre signe de dérive. Pour les rassurer, il suffisait d'aller les voir régulièrement, avec le sourire et un visage lisse, apporter son linge sale et remporter des provisions.

Un lundi, je suis revenue de chez eux avec une paire d'aiguilles à tricoter que j'avais achetées, un été, pour me faire une veste, restée inachevée. De grandes aiguilles, bleu électrique. Je n'avais pas de solution. J'avais décidé d'agir seule.

La veille au soir, je suis allée voir *Mein Kampf* avec des filles de la cité. J'étais dans une grande agitation et je pensais sans cesse à ce que j'allais faire le lendemain. Le film me ramenait cependant à une évidence : la souffrance que j'allais m'infliger n'était rien auprès de celles subies dans les camps d'extermination. J'en tirais du courage et de la détermination. Savoir aussi que je m'apprêtais à faire ce que des quantités d'autres avaient déjà fait me soutenait.

Le lendemain matin, je me suis allongée sur mon lit et j'ai glissé l'aiguille à tricoter dans mon sexe avec précaution. Je tâtonnais sans trouver le col de l'utérus et je ne pouvais m'empêcher d'arrêter dès que je ressentais de la douleur. Je me suis rendu compte que je n'y arriverais pas seule. J'étais désespérée par mon impuissance. Je n'étais pas à la hauteur. « Rien. Impossible ou quoi. Je pleure et j'en ai plus que marre. »

(Il se peut qu'un tel récit provoque de l'irritation, ou de la répulsion, soit taxé de mauvais goût. D'avoir vécu une chose, quelle qu'elle soit, donne le droit imprescriptible de l'écrire. Il n'y a pas de vérité inférieure. Et si je ne vais pas au bout de la relation de cette expérience, je contribue à obscurcir la réalité des femmes et je me range du côté de la domination masculine du monde.)

Après mon essai infructueux, j'ai téléphoné au docteur N. Je lui ai dit que je ne voulais pas « le garder » et que je m'étais abîmée. C'était faux mais je voulais qu'il sache que j'étais prête à tout pour avorter. Il m'a dit de venir immédiatement à son cabinet. J'ai cru qu'il allait faire quelque chose pour moi. Il m'a accueillie silencieusement, la figure grave. Après l'examen, il a déclaré que tout allait bien. Je me suis mise à pleurer. Il était prostré à son bureau, la tête baissée, l'air bouleversé. Je pensais qu'il luttait encore et qu'il allait céder. Il a relevé la tête : « Je ne veux pas savoir où vous irez. Mais vous allez prendre de la pénicilline, huit jours avant et huit jours après. Je vous fais l'ordonnance. »

En sortant du cabinet, je me suis accusée d'avoir gâché ma dernière chance. Je n'avais pas su jouer à fond le jeu qu'exigeait le contournement de la loi. Il n'avait tenu qu'à un supplément de larmes et de supplications, à une meilleure représentation de la réalité de mon désarroi, qu'il accède à mon désir d'avorter. (C'est ce que j'ai longtemps pensé.

À tort, peut-être. Lui seul pourrait le dire.) Au moins voulait-il m'empêcher de mourir d'une septicémie.

Ni lui ni moi n'avions prononcé le mot avortement une seule fois. C'était une chose qui n'avait pas de place dans le langage.

(La nuit dernière, j'ai rêvé que j'étais dans la situation de 1963 et que je cherchais un moyen d'avorter. En me réveillant, j'ai pensé que le rêve m'avait redonné exactement l'accablement et l'impuissance dans lesquels j'étais alors plongée. Le livre que je suis en train d'écrire m'est apparu comme une tentative désespérée. Comme dans l'orgasme, où, dans un éclair, on a l'impression que « tout est là », le souvenir de mon rêve me persuadait que j'avais obtenu sans effort ce que je cherche à retrouver par les mots — rendant inutile ma démarche d'écriture.

Mais en ce moment, où la sensation éprouvée en m'éveillant a disparu, l'écriture retrouve une nécessité d'autant plus forte qu'elle se trouve justifiée par le rêve.)

Dans le milieu universitaire, les deux filles que je considérais comme mes amies n'étaient plus là. L'une se trouvait au sanatorium des étudiants de Saint-Hilaire-du-Touvet, l'autre préparait un diplôme de psychologue scolaire à Paris. Je leur avais écrit que j'étais enceinte et que je voulais avorter, elles ne jugeaient pas mais elles paraissaient effrayées. Ce n'était pas la peur des autres dont j'avais besoin et elles ne pouvaient rien pour moi.

Je connaissais O. depuis la première année de fac, sa chambre était au même étage que la mienne, nous sortions souvent ensemble, mais je ne la considérais pas comme une amie. Dans le débinage qui caractérise souvent, sans les affecter ni les envenimer, les relations entre filles, je me joignais aux avis qui la jugeaient agaçante et collante. Je la savais avide de connaître des secrets qui lui servaient de trésor à offrir aux autres et qui la rendaient, pour une heure, plus intéressante que collante. Enfin, bourgeoise catholique, respectant les enseignements du pape sur la contraception, elle aurait dû être la dernière à qui je me confie. C'est pourtant elle qui a été ma confidente de décembre jusqu'à la fin. Je constate ceci : le désir qui me poussait à dire ma situation ne tenait compte ni des idées ni des jugements possibles de ceux à qui je me confiais. Dans l'impuissance dans laquelle je me trouvais, c'était un acte, dont les conséquences m'étaient indifférentes, par lequel j'essayais d'entraîner l'interlocuteur dans la vision effarée du réel.

Ainsi, je connaissais à peine André X., étudiant en première année de lettres, dont la spécialité consistait à raconter sur un ton froid des histoires horribles tirées de *Hara-Kiri*. Au détour d'une conversation dans un café, je lui ai appris que j'étais enceinte et que j'allais tout faire pour avorter. Il est resté pétrifié, me fixant de ses yeux bruns. Il a essayé ensuite de me persuader de suivre la « loi naturelle », de ne pas commettre ce qui était pour lui un crime. Nous sommes restés longtemps, à cette table du Métropole, près de la porte donnant sur la rue. Il n'arrivait pas à me quitter. Derrière son obstination à vouloir me faire renoncer à mon projet, je percevais en lui un trouble intense, une fascination effrayée. Mon désir d'avorter suscitait une espèce de séduction. Au fond, pour O., André, Jean T., mon avortement était une histoire dont on ne connaissait pas la fin.

(J'hésite à écrire : je revois le Métropole, la petite table où nous étions, près de la porte donnant sur la rue Verte, le garçon de café impassible qui s'appelait Jules et à qui j'avais identifié celui de *L'Être et le Néant*, qui n'est pas garçon de café, mais joue à être garçon de café, etc. Voir par l'imagination ou revoir par la mémoire est le lot de l'écriture. Mais « je revois » sert à consigner ce moment où j'ai la sensation d'avoir rejoint l'autre vie, la vie passée et perdue, sensation que l'expression « c'est comme si j'y étais encore » traduit spontanément de façon si juste.)

Le seul à ne pas paraître intéressé était celui dont j'étais enceinte, qui m'envoyait de Bordeaux des lettres espacées, dans lesquelles il évoquait allusivement les difficultés pour trouver une solution. (Dans l'agenda, « Il me laisse me débrouiller seule ».) J'aurais dû en conclure qu'il n'éprouvait plus rien pour moi et qu'il n'avait qu'une envie, redevenir celui qu'il était avant cette histoire, l'étudiant juste préoccupé de ses examens et de son avenir. Même si j'ai dû pressentir tout cela, je n'avais pas la force de rompre, d'ajouter à la recherche désespérée d'un moyen d'avorter le vide d'une séparation. C'était finalement à *bon escient* que j'occul-

tais la réalité. Et si voir dans les cafés des garçons en train de plaisanter et rire bruyam-
ment me dévastait — à la même heure il en
faisait sans doute autant —, j'y puisais une
raison de continuer à troubler sa tranquillité. En octobre, nous avions prévu de passer
ensemble les vacances de Noël à la neige,
avec un couple ami. Je n'avais pas l'intention
de modifier ce projet.

On arrivait à la mi-décembre.
Mes fesses et mes seins tendaient mes
robes, j'étais lourde, mais les nausées avaient
cessé. Il m'arrivait d'oublier que j'étais
enceinte de deux mois. C'est sans doute à
cause de cet effacement de l'avenir, par
lequel l'esprit endort lui-même l'angoisse de
l'échéance, qu'il sait pourtant inévitable,
que des filles laissaient passer les semaines,
puis les mois, jusqu'au terme. Allongée sur
mon lit, dans le soleil d'hiver qui emplissait
la vitre, j'écoutais les *Concertos brandebour-*

geois, exactement comme l'année précédente. J'avais l'impression que rien n'avait changé dans ma vie.

Dans mon journal, « j'ai l'impression d'être enceinte avec abstraction » — « je me touche le ventre, c'est là. Et pas davantage d'imagination. Si je laisse faire le temps, en juillet prochain, on sortira un enfant de moi. Mais je ne le sens pas ».

Une dizaine de jours avant Noël, quand je n'y comptais plus, L.B. a frappé à la porte de ma chambre. Jean T. l'avait croisée dans la rue et avertie de mon désir de la voir. Elle avait toujours ses grosses lunettes à monture noire, intimidantes. Elle me souriait. Nous nous sommes assises sur mon lit. Elle m'a donné l'adresse de la femme à qui elle avait eu affaire, une aide-soignante d'un certain âge, qui travaillait dans une clinique, Mme P.-R., impasse Cardinet, dans le XVIIᵉ à

Paris. J'ai dû rire au mot « impasse », qui parachevait la figure romanesque et sordide de la faiseuse d'anges, car elle a précisé que l'impasse Cardinet donnait dans la grande rue Cardinet. Je ne connaissais pas Paris, cette rue ne m'évoquait rien d'autre qu'un magasin de bijoux, le Comptoir Cardinet, dont on entendait la publicité tous les jours à la radio. L.B. m'exposait avec tranquillité, enjouement même, la façon de procéder de Mme P.-R. : à l'aide d'un spéculum, elle introduisait une sonde dans le col de l'utérus, il n'y avait plus qu'à attendre la fausse couche. Une femme sérieuse et propre, qui faisait bouillir ses instruments. Tous les microbes, cependant, n'étaient pas détruits par l'ébullition et L.B. avait attrapé une septicémie. Cela ne m'arriverait pas si je me faisais prescrire des antibiotiques aussitôt après chez un généraliste, sous un prétexte quelconque. Je lui ai dit que j'avais déjà une ordonnance de pénicilline. Tout paraissait simple et rassurant — après tout, L.B. était devant moi, elle s'en était sortie. Mme P.-R. prenait quatre

cents francs[1]. L.B. m'a spontanément proposé de me les avancer. Une adresse et de
l'argent, c'était les seules choses au monde
dont j'avais besoin à ce moment-là.

(Je suis réduite aux initiales pour désigner
celle qui m'apparaît maintenant comme la
première des femmes qui se sont relayées
auprès de moi, ces passeuses dont le savoir,
les gestes et les décisions efficaces m'ont fait
traverser, *au mieux*, cette épreuve. Je voudrais
écrire ici son nom, et son beau prénom sym-
bolique, donné par des parents réfugiés de
l'Espagne franquiste. Mais la raison qui me
pousse à le faire — l'existence réelle de L.B.,
dont il me semble que je dévoilerais ainsi la
valeur aux yeux de tous — est précisément
celle qui me l'interdit. Je n'ai pas le droit,
par l'usage d'un pouvoir non réciproque,
d'exposer, dans l'espace public d'un livre,
L.B., une femme réelle, vivante — comme

---

1. Environ six mille francs de 1999.

vient de me le confirmer l'annuaire —, qui pourrait me rétorquer à juste titre qu'elle « ne m'a rien demandé ».

Dimanche dernier, en revenant de la côte normande, j'ai fait un détour par Rouen. J'ai marché rue du Gros-Horloge, jusqu'à la cathédrale. Je me suis installée à la terrasse d'un café dans l'Espace du Palais, nouvellement construit. À cause du livre que j'écris, je pensais sans arrêt aux années soixante mais rien dans le centre de la ville, ravalée, colorée, ne m'en donnait la sensation. Ces années ne m'étaient accessibles que par un effort difficile d'abstraction, m'obligeant à dépouiller la ville de ses couleurs, à rendre aux murs leur teinte sombre et austère, aux rues piétonnes leurs voitures.

Je scrutais les passants. Parmi eux, comme dans ces vignettes de paysages dont les lignes recèlent des personnages qu'il faut découvrir, se trouvait peut-être l'un ou l'autre de ces anciens étudiants de 1963, que je revois si nettement en écrivant, et qui me sont maintenant invisibles. À une table voisine de la mienne, il y avait une belle fille brune, au teint mat, à la bouche petite et lourde, qui m'a rappelé L.B. J'ai aimé penser que c'était sa fille.)

Partir dans le Massif central, retrouver P. dont j'étais rien moins que sûre qu'il ait envie de me revoir, dépenser une partie de l'argent qui m'était indispensable pour payer l'avortement, était certainement déraisonnable. Mais je n'étais jamais allée aux sports d'hiver et il me fallait une sorte de *délai de grâce* avant de me rendre impasse Cardinet, dans le XVII[c].

Je regarde dans le guide Michelin un plan du Mont-Dore, je lis les noms des rues, Meynadier, Sidoine-Apollinaire, Montlozier, rue du Capitaine-Chazotte, place du Panthéon, etc. Je découvre que la Dordogne traverse la

ville et qu'il y a un établissement thermal.
C'est comme si je n'y étais jamais allée.

Dans mon agenda, « on danse au Casino »
— « on va à la Tannerie » — « hier soir, la
Grange ». Mais je ne revois rien, que la neige
et le café bondé où l'on s'attablait en fin
d'après-midi, et le juke-box passait *Si j'avais
un marteau, ce serait le bonheur.*

Souvenirs des scènes suivies de fâcheries
et de larmes, pas des paroles. Je ne peux pas
déterminer ce que P. était à ce moment-là
pour moi, ce que je voulais de lui. Peut-être
l'obliger à reconnaître comme un sacrifice,
voire une « preuve d'amour », cet avortement que j'avais pourtant décidé en fonc-
tion de mon désir et de mes intérêts.

Annick et Gontran, les étudiants en droit,
n'étaient pas au courant que j'étais enceinte
et que je voulais avorter. P. ne jugeait pas
utile de le leur dire, les estimant trop bourgeois conformistes pour cette révélation —
ils étaient fiancés et ne couchaient pas ensemble. Il paraissait surtout désireux de ne

pas gâcher l'atmosphère des vacances avec cette affaire. Il se rembrunissait dès que j'abordais le sujet. À Bordeaux, il n'avait trouvé aucune solution. Il m'a paru douteux qu'il en ait cherché.

Le couple, assez fortuné, logeait dans un vieil hôtel chic, P. et moi dans une petite pension. Nous faisions peu l'amour, et rapidement, ne profitant pas de l'avantage que procurait mon état — le mal était fait — pas plus sans doute que le chômeur ne profite du temps et de la liberté que lui accorde l'absence de travail, ou le malade perdu de la permission de manger et boire de tout.

Un ton de taquinerie légère était la règle des échanges du groupe, à peine rompu par des incidents légers, une remarque agressive, vite jugulés par le désir d'unanimité. Ils avaient tous travaillé leurs cours, rendu des devoirs, l'insouciance à laquelle ils se livraient avec décision faisait partie de leur bon rendement d'étudiants. Ils voulaient plaisanter, danser, voir *Les tontons flingueurs.* Ma seule véritable occupation pendant le trimestre avait été de chercher un moyen d'avorter. Je m'efforçais d'atteindre leur registre de bonne humeur généralisée, je ne crois pas y être parvenue. J'étais une fille qui suit.

Je ne trouvais d'intérêt qu'aux activités physiques, espérant qu'un effort intense, une chute, réussiraient à décrocher « ça », rendant inutile ma visite à la femme du XVIIe. Quand Annick me prêtait ses skis et ses chaussures, que je n'avais pas les moyens de louer, je tombais sans retenue, croyant à chaque fois infliger la secousse qui me délivrerait. Un jour, alors que P. et Annick refusaient d'aller plus haut, j'ai poursuivi, en compagnie du seul Gontran, la montée du Puy Jumel avec mes bottes de faux cuir, évasées, qui recueillaient la neige. J'avançais, les yeux rivés à la pente, éblouis par le scintillement, arrachant de plus en plus difficilement mes bottes de la poudreuse, n'ayant qu'un désir, faire lâcher prise à cet embryon. J'étais persuadée que je devais atteindre le sommet et la limite de mes forces pour m'en débarrasser. Je m'exténuais pour le tuer sous moi.

À chaque fois que j'ai pensé à cette semaine au Mont-Dore, j'ai vu une étendue éblouissante de soleil et de neige débouchant sur les ténèbres du mois de janvier. Sans doute parce qu'une mémoire primitive nous fait voir toute la vie passée sous la forme élémentaire de l'ombre et de la lumière, du jour et de la nuit.

(Se pose toujours, en écrivant, la question de la preuve : en dehors de mon journal et de mon agenda de cette période, il ne me semble disposer d'aucune certitude concernant les sentiments et les pensées, à cause de l'immatérialité et de l'évanescence de ce qui traverse l'esprit.

74

Seul le souvenir de sensations liées à des êtres et des choses hors de moi — la neige du Puy Jumel, les yeux exorbités de Jean T., la chanson de Sœur Sourire — m'apporte la preuve de la réalité. La seule vraie mémoire est matérielle.)

Le 31 décembre, je suis repartie du Mont-Dore dans la voiture d'une famille qui avait accepté de me remonter avec elle sur Paris. Je ne participais pas à la conversation. À un moment, une femme a dit que la fille logeant dans la chambre de bonne avait fait une fausse couche, « elle a gémi toute la nuit ». Du voyage, je n'ai retenu que le temps pluvieux et cette phrase. Elle fait partie de celles qui, tantôt effrayantes, tantôt réconfortantes, plus ou moins anonymes, m'ont conduite vers l'épreuve, accompagnée comme un viatique jusqu'à ce que j'y passe à mon tour.

(Il me semble que je me suis mise à faire ce récit pour parvenir à ces images de janvier 64, dans le XVIIe, de la même façon qu'à quinze ans, je vivais pour atteindre une ou deux images de moi à venir : voyageant dans un pays lointain, faisant l'amour. Je ne sais pas encore quels mots me viendront. Je ne sais pas ce que l'écriture fait arriver. Je voudrais retarder ce moment, rester encore dans cette attente. Peur, peut-être, que l'écriture dissolve ces images, comme celles du désir sexuel qui s'effacent instantanément après l'orgasme.)

Le mercredi 8 janvier[1] je suis allée à Paris pour rencontrer la femme et régler avec elle les détails pratiques, le jour, l'argent. Afin

[1] Écrire la date est pour moi une nécessité attachée à la réalité de l'événement. Et c'est la date qui, à un moment, pour John Fitzgerald Kennedy — 22 novembre 1963 —, pour tout le monde, sépare la vie de la mort.

d'économiser le voyage, j'ai fait du stop au bas de la côte Sainte-Catherine. Dans ma situation, un danger de plus ou de moins était sans importance. Il tombait de la neige fondue. Une grosse voiture s'est arrêtée, « une Jaguar », a répondu le conducteur à ma question. Il tenait son volant à bout de bras, avec des gants, sans parler. Il m'a déposée à Neuilly et j'ai pris le métro. Quand je suis arrivée dans le XVIIe, il faisait déjà sombre. Sur la plaque de rue, il était indiqué « passage Cardinet », et non « impasse Cardinet », c'était un signe qui me soulageait. Je suis arrivée au numéro..., un immeuble vétuste. Mme P.-R. habitait au deuxième étage.

Des milliers de filles ont monté un escalier, frappé à une porte derrière laquelle il y avait une femme dont elles ne savaient rien, à qui elles allaient abandonner leur sexe et leur ventre. Et cette femme, la seule personne alors capable de faire passer le malheur, ouvrait la porte, en tablier et en pantoufles à pois, un torchon à la main : « C'est pour quoi, mademoiselle ? »

Mme P.-R. était courte et replète, avec des lunettes, un chignon gris, des vêtements sombres. Elle ressemblait aux femmes âgées de la campagne. Elle m'a fait entrer rapidement dans une cuisine étroite et noire, puis passer dans une chambre un peu plus grande, avec des meubles vieillots, les deux seules pièces du logement. Elle m'a demandé à quand remontaient mes dernières règles. À trois mois, selon elle, c'était le bon moment pour le faire. Elle m'a fait ouvrir mon manteau et elle m'a palpé le ventre des deux mains par-dessus la jupe en s'exclamant avec une sorte de satisfaction, « vous avez un petit bidon ! ». Elle a dit aussi, en haussant les épaules, quand je lui ai parlé de mes efforts aux sports d'hiver, « pensez-vous, il a repris de la force ! ». Elle en parlait joyeusement comme d'une bête maligne.

J'étais debout près du lit, face à cette femme au teint grisâtre, qui parlait vite, avec des gestes nerveux. C'est à elle que j'allais confier l'intérieur de mon ventre, c'est ici que tout se jouerait.

Elle m'a dit de revenir le mercredi suivant, seul jour où elle pouvait rapporter un spéculum de la clinique où elle travaillait. Elle me poserait une sonde, sans rien d'autre, ni eau savonneuse ni eau de Javel. Elle m'a confirmé son tarif, quatre cents francs en liquide. Elle prenait les choses en main avec détermination. Sans familiarité — elle ne tutoyait pas — et discrète — elle ne posait aucune question —, elle allait à l'essentiel, date des dernières règles, prix, technique utilisée. Cette matérialité pure avait quelque chose d'étrange et de rassurant. Ni sentiments ni morale. Par expérience, Mme P.-R. savait certainement qu'un discours limité aux détails pratiques évitait les larmes et les épanchements qui font perdre du temps, ou changer d'avis.

Plus tard, en me rappelant ses yeux clignotant rapidement, sa lèvre inférieure qu'elle rentrait et mâchouillait par intervalles, quelque chose d'imperceptiblement traqué en elle, je penserai qu'elle aussi avait peur. Mais, de la même façon que rien n'aurait pu m'empêcher d'avoir un avortement, rien ne pouvait l'arrêter d'en faire. À cause de l'argent naturellement, peut-être aussi d'un sentiment d'être utile aux femmes. Ou encore, pour elle qui vidait à longueur de journée les bassins des malades et des accouchées, la satisfaction secrète d'avoir, dans son deux-pièces, passage Cardinet, le même pouvoir que les médecins qui lui disaient à peine bonjour. Il fallait donc prendre cher, pour les risques, pour ce savoir qui ne serait jamais reconnu et la honte qu'on aurait d'elle ensuite.

Après ma première visite passage Cardinet, j'ai commencé de prendre de la pénicilline et il n'y a plus eu de place en moi que pour la peur. Je voyais la cuisine et la chambre de Mme P.-R., je ne voulais pas imaginer ce qu'elle allait faire. Au restau U, je disais à des filles qu'on allait m'enlever un gros grain de beauté dans le dos et que j'avais peur. Elles paraissaient surprises que je manifeste une telle angoisse pour un acte somme toute bénin. Cela me soulageait de dire que j'avais peur : pendant une seconde, je pouvais croire qu'au lieu d'une cuisine et d'une vieille garde-malade m'attendaient une salle d'opération nickel et un chirurgien en gants de caoutchouc.

(Ressentir maintenant ce que je pouvais éprouver alors n'est plus possible. C'est seulement en prenant au hasard, dans une file d'attente au supermarché ou à la poste, n'importe quelle femme d'une soixantaine d'années, à l'abord rude et antipathique, en imaginant qu'elle va fourrager dans mon sexe avec un objet inconnu, que je m'approche fugitivement de l'état dans lequel j'ai été plongée pendant une semaine.)

Le mercredi 15 janvier, j'ai pris un train pour Paris en début d'après-midi. Je suis arrivée dans le XVIIe plus d'une heure avant le rendez-vous fixé avec Mme P.-R. J'ai erré dans les rues autour du passage Cardinet. Il faisait doux, humide. Je suis entrée dans une église, Saint-Charles-Borromée, où je suis restée longtemps assise en demandant de ne pas souffrir. Ce n'était pas encore l'heure. J'ai attendu dans un café proche du passage Cardinet en buvant un thé. À une table voisine, des étudiants, les seuls clients, jouaient au 421, le patron plaisantait avec eux. Je regardais ma montre sans cesse. Au moment de partir, je suis descendue aux toilettes, par habitude inculquée depuis l'enfance de prendre mes précautions avant un événement important. Je me suis regardée dans la glace au-dessus du lavabo, en pensant à peu près, « c'est à moi que ça arrive » et « je ne vais pas supporter ».

Mme P.-R. avait tout préparé. J'ai vu sur le gaz une casserole d'eau bouillante où devaient se trouver les instruments. Elle m'a fait passer dans la chambre, elle semblait pressée de s'y mettre. Dans le prolongement du lit, elle avait installé une table, recouverte d'une serviette de toilette blanche. J'ai enlevé mon collant, mon slip, il me semble que j'ai conservé ma jupe noire parce qu'elle était évasée. Pendant que je me déshabillais, elle m'a demandé « est-ce que vous avez beaucoup saigné quand vous avez été dépucelée ? ». Elle m'a fait placer le haut du corps sur le lit, la tête sur un oreiller, les reins et les jambes, pliées, sur la table, en position surélevée. Elle ne cessait pas de parler en s'affairant, spécifiant une nouvelle fois qu'elle introduisait juste la sonde, rien d'autre. Elle m'a cité le cas d'une mère de famille trouvée morte la semaine d'avant, laissée sur la table de la salle à manger par une femme qui avait injecté de l'eau de Javel. En racontant, Mme P.-R. était très remontée, visiblement indignée par une telle absence de conscience professionnelle. C'était des paroles destinées à me rassurer. J'aurais préféré qu'elle ne les dise pas. Plus tard, je penserai qu'elle était à la recherche d'une forme d'excellence dans son travail.

Elle s'est assise devant la table, au pied du lit.

Je voyais la fenêtre avec des rideaux, d'autres fenêtres de l'autre côté de la rue, la tête grise de Mme P.-R. entre mes jambes. Je n'avais pas imaginé que je puisse être là. Peut-être ai-je pensé aux filles qui, au même moment, étaient penchées sur des livres à la fac, à ma mère en train de repasser en chantonnant, à P. marchant dans une rue de Bordeaux. Mais on n'a pas besoin de penser les choses pour qu'elles soient autour de soi et c'est sans doute de savoir que le cours de la vie continuait comme avant pour la plupart des gens qui me poussait à me répéter, « qu'est-ce que je fais là ».

Je suis parvenue à l'image de la chambre. Elle excède l'analyse. Je ne peux que m'immerger en elle. Il me semble que cette femme qui s'active entre mes jambes, qui introduit le spéculum, me fait naître.
J'ai tué ma mère en moi à ce moment-là.

Pendant des années, j'ai vu cette chambre et ces rideaux comme je les voyais depuis le lit où j'étais couchée. Elle est peut-être devenue une pièce claire, meublée Ikea, à l'intérieur d'un appartement de jeune cadre qui a acheté tout l'étage. Mais rien ne peut empêcher ma certitude qu'elle garde le souvenir des filles et des femmes venues s'y faire transpercer d'une sonde.

Il y a eu une douleur atroce. Elle disait, « arrêtez de crier, mon petit » et « il faut bien que je fasse mon travail », ou peut-être d'autres mots encore qui ne signifiaient qu'une chose, l'obligation d'aller jusqu'au bout. Des mots que j'ai retrouvés ensuite dans des récits de femmes qui avortaient clandestinement, comme s'il ne pouvait y avoir, à ce moment-là, que ces mots de la nécessité et, parfois, de la compassion.

Je ne sais plus combien de temps cela lui a pris pour enfoncer la sonde. Je pleurais. J'ai cessé d'avoir mal, seulement une sensation de pesanteur dans le ventre. Elle a dit que c'était fini, je ne devais toucher à rien. Elle avait mis une grosse couche de coton, au cas où je perdrais de l'eau. Je pouvais aller aux cabinets tranquillement, marcher. Dans un ou deux jours ça partirait, sinon il fallait lui téléphoner. Nous avons bu du café ensemble dans la cuisine. Pour elle aussi c'était une bonne chose de faite. Je ne me rappelle pas à quel moment je lui ai remis l'argent.

Elle s'inquiétait de savoir comment j'allais rentrer. Elle tenait à me conduire jusqu'à la gare du Pont-Cardinet, d'où un train me mènerait directement à Saint-Lazare. J'avais envie de partir seule et de ne plus la voir. Mais je ne voulais pas la vexer en refusant une sollicitude dont je ne soupçonnais pas, alors, qu'elle était dictée par la crainte qu'on me ramasse évanouie à la sortie de chez elle. Elle a enfilé un manteau et gardé aux pieds ses chaussons.

Au-dehors, tout est devenu brusquement irréel. Nous marchions l'une à côté de l'autre au milieu de la chaussée et nous avancions vers le fond du passage Cardinet, dont la perspective paraissait barrée par le mur d'un immeuble, ne laissant qu'une fente de clarté. C'est une scène lente, le jour n'est plus très clair. Rien de mon enfance et de ma vie d'avant ne me conduit à être là. Nous avons croisé des passants, il me semblait qu'ils me regardaient et qu'à voir notre couple ils savaient ce qui venait d'avoir lieu. Je me sentais abandonnée du monde, sauf de cette vieille femme en manteau noir qui m'accompagnait comme si elle était ma mère. Dans la lumière de la rue, hors de son antre, avec sa peau grise, elle m'inspirait de l'aversion. La femme qui me sauvait ressemblait à une sorcière ou une vieille maquerelle.

Elle m'a donné un ticket et elle a attendu avec moi sur le quai qu'un train arrive pour Saint-Lazare.

(Je ne suis plus sûre qu'elle ait gardé ses chaussons. Que je lui aie toujours attribué cette coutume des femmes sortant ainsi de chez elles pour une course à l'épicerie du coin montre qu'elle est pour moi une figure du milieu populaire, dont j'étais alors en train de m'éloigner.)

Le 16 et le 17 janvier, j'ai attendu les contractions. J'ai écrit à P. que je ne voulais plus jamais le revoir et à mes parents que je ne rentrerais pas pour le week-end, j'allais voir les Valses de Vienne — des affiches de cette manifestation partout dans Rouen m'avaient fourni ce prétexte dont ils pourraient vérifier l'exactitude dans le journal.

Il ne se passait rien. Je ne ressentais pas de douleurs. Le soir du 17, un vendredi, j'ai appelé Mme P.-R. depuis la poste près de la gare. Elle m'a dit de revenir la voir le lendemain matin. Dans mon journal, où il n'y a rien d'écrit depuis le 1er janvier, j'ai noté à la date du vendredi 17, « j'attends toujours. Demain je retournerai chez la faiseuse d'anges puisqu'elle n'a pas réussi ».

Le samedi 18 j'ai pris de bonne heure un train pour Paris. Il faisait très froid, tout était blanc. Dans le wagon, derrière moi, deux filles parlaient sans discontinuer en riant régulièrement. À les écouter, je me sentais sans âge.

Mme P.-R. m'a accueillie avec des exclamations sur le froid glacial et fait rentrer rapidement. Un homme était assis dans la cuisine, plus jeune qu'elle, avec un béret sur la tête. Il ne paraissait ni surpris ni gêné de me voir. Je ne me souviens pas s'il est resté ou parti, mais il a dû prononcer quelques mots car j'ai pensé qu'il était italien. Sur la table, il y avait une cuvette remplie d'eau encore fumante où flottait un tuyau mince et rouge. J'ai compris que c'était la nouvelle sonde qu'elle comptait me poser. Je n'avais pas vu la première. Cela ressemblait à un serpent. À côté de la cuvette était posée une brosse à cheveux.

(Si j'avais à représenter par un seul tableau cet événement de ma vie, je peindrais une petite table adossée à un mur, couverte de formica, avec une cuvette émaillée où flotte une sonde rouge. Légèrement sur la droite, une brosse à cheveux. Je ne crois pas qu'il existe un *Atelier de la faiseuse d'anges* dans aucun musée du monde.)

Comme la première fois, elle m'a fait passer dans la chambre. Je n'avais plus peur de ce qu'elle allait faire. Je n'ai pas eu mal. Au moment où elle m'enlevait la sonde en place pour mettre celle de la cuvette, elle s'est écriée, « vous êtes en plein travail ! ». C'était une phrase de sage-femme. Je n'avais pas pensé jusqu'ici que tout cela pouvait se comparer à un accouchement. Elle ne m'a pas demandé un supplément d'argent, mais de lui renvoyer la sonde après, parce qu'il lui était difficile de s'en procurer de ce modèle.

Dans mon compartiment, au retour de Paris, une femme se limait les ongles interminablement.

Le rôle pratique de Mme P.-R. s'arrête ici. Elle avait fini sa tâche, lancé le programme qui efface le malheur. Elle n'était pas payée pour m'assister dans la suite.

(Au moment où j'écris, des réfugiés kosovars, à Calais, tentent de passer clandestinement en Angleterre. Les passeurs exigent
des sommes énormes et parfois disparaissent
avant la traversée. Mais rien n'arrête les
Kosovars, non plus que tous les migrants des
pays pauvres : ils n'ont pas d'autre voie de
salut. On pourchasse les passeurs, on dé-
plore leur existence comme il y a trente ans
celle des avorteuses. On ne met pas en cause
les lois et l'ordre mondial qui l'induisent. Et
il doit bien y avoir, parmi les passeurs d'im-
migrés, comme autrefois parmi les passeuses
d'enfants, de plus réguliers que d'autres.

J'ai arraché très vite de mon répertoire
d'adresses la page où figurait le nom de
Mme P.-R. Je ne l'ai jamais oublié. Je l'ai retrouvé six ou sept ans après, porté par un
élève de sixième, blond et taciturne, avec des
dents cariées, trop grand et trop vieux déjà
pour cette classe. Je n'ai jamais pu l'appeler
pour l'interroger, ou lire son nom sur une
copie, sans l'associer au souvenir de la

femme du passage Cardinet. Ce garçon n'a jamais existé pour moi que jumelé à une vieille faiseuse d'anges, dont il me semblait être le petit-fils. Et l'homme que j'avais aperçu dans la cuisine de Mme P.-R., sans doute son compagnon, je l'ai vu pendant des années dans une petite mercerie d'Annecy, place Notre-Dame : un Italien avec un fort accent et un béret enfoncé sur la tête. Au point maintenant de ne plus pouvoir distinguer la copie de l'original et de placer passage Cardinet, un samedi glacial de janvier, celui qui me vendait, dans les années soixante-dix, aux côtés d'une petite femme agile et sans âge, de l'extrafort et des boutons de corozo.)

À la descente du train, j'ai appelé le docteur N. Je lui ai dit qu'on m'avait posé une sonde. Peut-être avais-je l'espoir qu'il me ferait venir à son cabinet, comme le mois précédent, et prendrait en somme le relais de Mme P.-R. Il est resté silencieux, puis m'a conseillé du Masogynestril[1]. À son ton, j'ai compris que me voir était la dernière chose qu'il désirait et que je ne devais plus lui téléphoner.

(Je ne pouvais pas l'imaginer — comme je suis capable de le faire maintenant — brusquement envahi de sueur à son bureau en entendant cette voix de fille annonçant qu'elle se promène depuis trois jours avec une sonde dans l'utérus. Figé par le dilemme. S'il acceptait de la voir, la loi l'obligeait à lui retirer aussitôt cet engin et à lui faire continuer la grossesse dont elle ne voulait pas. S'il refusait, elle risquait d'en mourir. Il n'y avait rien de bon à choisir et il était seul. Donc, du Masogynestril.)

Je suis entrée dans la pharmacie la plus proche, en face du Métropole, pour acheter le médicament du docteur N. C'était une femme : « Vous avez une ordonnance ? On

1. Je ne suis pas sûre du nom de cet anti-douleur utérin qui n'est plus vendu.

ne peut pas vous le donner sans ordonnance. » Je me tenais au milieu de la pharmacie. Derrière le comptoir, deux ou trois pharmaciens en blouse blanche me regardaient. L'absence d'ordonnance signalait ma culpabilité. J'avais l'impression qu'ils voyaient la sonde à travers mes vêtements. C'est l'un des moments où j'ai été le plus désespérée.

(Vous avez une ordonnance ? Il faut une ordonnance ! Je n'ai jamais pu entendre ces mots, et voir se fermer aussitôt la tête du pharmacien quand la réponse était non, sans être accablée.

En écrivant, je dois parfois résister au lyrisme de la colère ou de la douleur. Je ne veux pas faire dans ce texte ce que je n'ai pas fait dans la vie à ce moment-là, ou si peu, crier et pleurer. Seulement rester au plus près de la sensation d'un cours étale du malheur telle que me l'ont donnée la question d'une pharmacienne et la vision d'une brosse à cheveux à côté de la cuvette d'eau où trempait une sonde. Car le bouleversement que j'éprouve en revoyant des images, en réentendant des paroles n'a rien à voir avec ce que je ressentais alors, c'est seulement une émotion d'écriture. Je veux dire : qui permet l'écriture et en constitue le signe de vérité.)

Le week-end, il ne restait dans la cité universitaire que les étudiantes étrangères et quelques filles dont les parents habitaient loin. Le restau U, à côté, était fermé. Mais je n'avais besoin de parler à personne. Dans mon souvenir, pas de peur, une certaine tranquillité, celle de n'avoir plus rien à faire d'autre qu'attendre.

Je ne pouvais pas lire ni écouter des disques. J'ai pris une feuille de papier et j'ai dessiné le passage Cardinet tel qu'il m'était apparu en descendant de chez l'avorteuse, de hauts murs se rapprochant, avec une déchirure au fond. C'est la seule fois de ma vie d'adulte où j'ai eu envie de faire un dessin.

Le dimanche après-midi, j'ai marché dans les rues froides et ensoleillées de Mont-Saint-Aignan. La sonde ne me gênait plus. C'était un objet qui faisait partie de mon ventre, une alliée à laquelle je reprochais seulement de ne pas agir assez vite.

Dans le journal, au 19 janvier : « De petites douleurs. Je me demande combien il va falloir de temps à cet embryon pour mourir et être expulsé. Un clairon jouait *La Marseillaise*, des rires à l'étage au-dessus. Et tout cela, c'est la vie. »

(Ce n'était donc pas le malheur. Ce que c'était vraiment serait peut-être à chercher dans la nécessité que j'ai eue de m'imaginer à nouveau dans cette chambre, ce dimanche-là, pour écrire mon premier livre, *Les armoires vides*, huit ans après. Dans le désir de faire tenir, dans ce dimanche et dans cette chambre, toute ma vie jusqu'à vingt ans.)

97

Le lundi matin, il y avait cinq jours que je vivais avec une sonde. Vers midi, j'ai pris le train pour Y, un aller-retour rapide chez mes parents, redoutant de ne pas être en état de les voir le samedi suivant. Peut-être, comme d'habitude, ai-je tiré à pile ou face pour savoir si j'avais le temps de prendre un tel risque. C'était le redoux, ma mère avait ouvert les fenêtres des chambres. J'ai vérifié mon slip. Il était trempé de sang et d'eau s'écoulant le long de la sonde qui commençait à ressortir du sexe. Je voyais les petites maisons basses du quartier, les jardins, le même paysage depuis mon enfance.

(Sur cette image en glisse maintenant une autre, antérieure de neuf ans. Celle de la grande tache rosée, de sang et d'humeurs, laissée au milieu de mon oreiller par la chatte morte pendant que j'étais à l'école et déjà enterrée quand je suis revenue, un après-midi d'avril, avec ses chatons crevés à l'intérieur d'elle.)

J'ai repris l'autorail de quatre heures vingt pour Rouen. Le trajet ne durait que quarante minutes. Comme d'habitude, j'avais remporté du Nescafé et du lait concentré, des paquets de biscuits.

Au ciné-club de la Faluche, ce soir-là, on passait *Le cuirassé Potemkine.* J'y suis allée avec O. Des douleurs, auxquelles je n'avais pas d'abord accordé d'attention, me serraient le ventre par intervalles. À chaque contraction, je fixais l'écran en retenant mon souffle. Les intervalles raccourcissaient. Je ne suivais plus le film. Un énorme quartier de viande suspendu à un crochet, grouillant de vers, est apparu. C'est la dernière image qu'il me reste du film. Je me suis levée et j'ai couru à la cité. Je me suis couchée et j'ai commencé à me cramponner à la tête de lit, en me retenant de crier. J'ai vomi. Plus tard, O. est entrée, le film était fini. Elle s'est assise près de moi, ne sachant quoi faire, me conseillant de respirer comme les femmes dans l'accouchement sans douleur, à la manière d'un petit chien. Je ne pouvais haleter qu'entre les douleurs et elles n'arrêtaient pas. Il était plus de minuit, O. est partie se coucher en me disant de l'appeler si j'avais besoin d'elle. Nous ne savions ni l'une ni l'autre à quoi la suite ressemblerait.

J'ai ressenti une violente envie de chier. J'ai couru aux toilettes, de l'autre côté du couloir, et je me suis accroupie devant la cuvette, face à la porte. Je voyais le carrelage entre mes cuisses. Je poussais de toutes mes forces. Cela a jailli comme une grenade, dans un éclaboussement d'eau qui s'est répandue jusqu'à la porte. J'ai vu un petit baigneur pendre de mon sexe au bout d'un cordon rougeâtre. Je n'avais pas imaginé avoir cela en moi. Il fallait que je marche avec jusqu'à ma chambre. Je l'ai pris dans une main — c'était d'une étrange lourdeur — et je me suis avancée dans le couloir en le serrant entre mes cuisses. J'étais une bête.

La porte de O. était entrebâillée, avec de la lumière, je l'ai appelée doucement, « ça y est ».

Nous sommes toutes les deux dans ma chambre. Je suis assise sur le lit avec le fœtus entre les jambes. Nous ne savons pas quoi faire. Je dis à O. qu'il faut couper le cordon. Elle prend des ciseaux, nous ne savons pas à quel endroit il faut couper, mais elle le fait. Nous regardons le corps minuscule, avec une grosse tête, sous les paupières transparentes les yeux font deux taches bleues. On dirait une poupée indienne. Nous regardons le sexe. Il nous semble voir un début de pénis. Ainsi j'ai été capable de fabriquer cela. O. s'assoit sur le tabouret, elle pleure. Nous pleurons silencieusement. C'est une scène sans nom, la vie et la mort en même temps. Une scène de sacrifice.

Nous ne savons pas quoi faire du fœtus. O. va chercher dans sa chambre un sac de biscottes vide et je le glisse dedans. Je vais jusqu'aux toilettes avec le sac. C'est comme une pierre à l'intérieur. Je retourne le sac au-dessus de la cuvette. Je tire la chasse.

Au Japon, on appelle les embryons avortés « mizuko », les enfants de l'eau.

Les gestes de la nuit se sont faits tout seuls. Il n'y en avait pas d'autres à faire à ce moment-là.

Par ses croyances et son idéal bourgeois O. n'était pas préparée à couper le cordon d'un fœtus de trois mois. À l'heure qu'il est, peut-être se rappelle-t-elle cet épisode comme un désordre inexplicable, une anomalie dans sa vie. Peut-être condamne-t-elle les IVG. Mais c'est elle, dont je revois la petite figure rechignée en pleurs, elle seule qui était à côté de

102

moi, cette nuit-là, dans le rôle improvisé d'une sage-femme, chambre 17, de la cité des filles.

Je perdais du sang. Je n'y avais pas d'abord pris garde, je croyais que tout était fini. Il sortait par saccades du cordon coupé. J'étais étendue sans bouger sur le lit et O. me passait des serviettes de toilette qui s'imbibaient rapidement. Je ne voulais pas avoir affaire aux médecins, jusqu'ici je m'en étais bien sortie sans eux. J'ai voulu me lever, je n'ai vu que des scintillements, j'ai pensé que j'allais mourir d'une hémorragie. J'ai crié à O. qu'il me fallait un docteur immédiatement. Elle est descendue frapper chez le concierge, il ne répondait pas. Puis il y a eu des voix. J'étais sûre que j'avais déjà perdu trop de sang.

Avec l'entrée en scène du médecin de garde, c'est la seconde partie de la nuit qui commence. D'expérience pure de la vie et de la mort, elle est devenue exposition et jugement.

Il s'est assis sur mon lit et il m'a saisi le menton : « Pourquoi as-tu fait ça ? Comment as-tu fait ça, réponds ! » Il me fixait avec des yeux étincelants. Je le suppliais de ne pas me laisser mourir. « Regarde-moi ! Jure-moi que tu ne le feras plus ! Jamais ! » À cause de ses yeux fous, j'ai cru qu'il était capable de me laisser mourir si je ne jurais pas. Il a sorti son bloc d'ordonnances, « tu vas aller à l'Hôtel-Dieu ». J'ai dit que je préférais aller dans une clinique. Fermement, il a répété « à l'Hôtel-Dieu », me signifiant que la seule place d'une fille comme moi était à l'hôpital. Il m'a demandé de lui payer la visite. Je ne pouvais pas me lever, il a ouvert le tiroir de mon bureau et il a pris l'argent dans mon porte-monnaie.

(Je viens de retrouver dans mes papiers cette scène déjà écrite, il y a plusieurs mois. Je m'aperçois que j'avais employé les mêmes

104

mots, « il était capable de me laisser mourir », etc. Ce sont toujours aussi les mêmes comparaisons qui me sont venues à chaque fois que j'ai pensé au moment où j'avorte dans les toilettes, le jaillissement d'un obus ou d'une grenade, la bonde d'un fût qui saute. Cette impossibilité de dire les choses avec des mots différents, cet accolement définitif de la réalité passée et d'une image à l'exclusion de toute autre me semblent la preuve que j'ai *réellement* vécu *ainsi* l'événement.)

On m'a descendue de la chambre sur une civière. Tout était flou, je n'avais pas mes lunettes. Les antibiotiques, le sang-froid de la première partie de la nuit n'avaient donc servi à rien, cela finissait à l'hôpital. J'avais le sentiment de m'être bien conduite jusqu'à l'hémorragie. Je cherchais la faute, elle commençait sans doute au cordon qu'il n'aurait pas fallu couper. Je ne maîtrisais plus rien.

(Je sens qu'il en sera de même lorsque ce livre sera fini. Ma détermination, mes efforts, tout ce travail secret, clandestin même, dans la mesure où personne ne se doute que j'écris là-dessus, s'évanouiront d'un seul coup. Je n'aurai plus aucun pouvoir sur mon texte qui sera exposé comme mon corps l'a été à l'Hôtel-Dieu.)

On m'a déposée sur un lit roulant dans un hall avec des allées et venues, en face de l'ascenseur. Ce n'était jamais mon tour d'être emmenée. Une fille avec un ventre énorme est arrivée, accompagnée d'une autre femme qui devait être sa mère. Elle a dit qu'elle allait accoucher. L'infirmière l'a rembarrée, elle n'était pas du tout à terme. La fille voulait rester, il y a eu une dispute, elle est repartie avec sa compagne. L'infirmière haussait les épaules, « celle-là, elle nous fait le coup depuis quinze jours ! ». J'ai compris qu'il s'agissait d'une fille de vingt ans, sans mari. Elle avait gardé l'enfant mais elle n'était pas mieux traitée que moi. La

106

fille avortée et la fille mère des quartiers pauvres de Rouen étaient logées à la même enseigne. Peut-être avait-on plus de mépris pour elle que pour moi.

Dans la salle d'opération, j'ai été nue, les jambes relevées et sanglées dans des étriers, sous une lumière violente. Je ne comprenais pas pourquoi il fallait m'opérer, il n'y avait plus rien à me retirer du ventre. J'ai supplié le jeune chirurgien de me dire ce qu'il allait me faire. Il s'est planté devant mes cuisses ouvertes, en hurlant : « Je ne suis pas le plombier ! » Ce sont les dernières paroles que j'ai entendues avant de sombrer dans l'anesthésie.

(« Je ne suis pas le plombier ! » Cette phrase, comme toutes celles qui jalonnent cet événement, des phrases très ordinaires, proférées par des gens qui les disaient sans réfléchir, déflagre toujours en moi. Ni la répétition ni un commentaire sociopolitique ne peuvent en atténuer la violence : je

107

ne « l'attendais » pas. Fugitivement, je crois voir un homme en blanc, avec des gants de caoutchouc, qui me roue de coups en hurlant, « je ne suis pas le plombier ! ». Et cette phrase, que lui avait peut-être inspirée un sketch de Fernand Raynaud qui faisait alors rire toute la France, continue de hiérarchiser le monde en moi, de séparer, comme à coups de trique, les médecins des ouvriers et des femmes qui avortent, les dominants des dominés.)

Je me suis réveillée, il faisait nuit. J'ai entendu une femme entrer et crier de me taire à la fin. J'ai demandé si on m'avait enlevé les ovaires. Elle m'a rassurée avec brutalité : j'avais été simplement curetée. J'étais seule dans une chambre, habillée d'une chemise de l'hôpital. J'entendais des pleurs de bébé. Mon ventre était une cuvette flasque.

J'ai su que j'avais perdu dans la nuit le

corps que j'avais depuis l'adolescence, avec son sexe vivant et secret, qui avait absorbé celui de l'homme sans en être changé — rendu plus vivant et plus secret encore. J'avais un sexe exhibé, écartelé, un ventre raclé, ouvert à l'extérieur. Un corps semblable à celui de ma mère.

J'ai regardé la feuille accrochée au pied du lit. Il y avait écrit, « utérus gravide ». Je lisais ce mot « gravide » pour la première fois, il me déplaisait. En me rappelant le mot latin — *gravidus*, lourd — le sens m'est apparu. Je ne comprenais pas pourquoi on écrivait cela puisque je n'étais plus enceinte. On ne voulait donc pas dire ce que j'avais eu.

À midi, on a déposé près de moi de la viande bouillie sur un morceau de chou affaissé, sillonné de côtes et de nervures, qui emplissait l'assiette. Je ne pouvais pas y toucher. J'avais l'impression qu'on me donnait à manger mon placenta.

Dans le couloir, il régnait une grande

effervescence, qui semblait rayonner du chariot de nourriture. À intervalles réguliers, une voix de femme criait à la cantonade, « une crème pour Mme X ou Y qui allaite », comme un privilège.

L'interne de la nuit précédente est passé. Il est resté au fond de la chambre, il semblait gêné. J'ai cru qu'il avait honte de m'avoir maltraitée dans la salle d'opération. J'étais embarrassée pour lui. Je me trompais. Il avait seulement honte d'avoir — parce qu'il ne savait rien de moi — traité une étudiante de la fac de lettres comme une ouvrière du textile ou une vendeuse de Monoprix, ainsi que je l'ai découvert le soir même.

Toutes les lumières étaient éteintes depuis assez longtemps. La garde de nuit, une femme à cheveux gris, est revenue dans ma chambre, s'est approchée silencieusement jusqu'à la tête de mon lit. Dans la pénombre de la veilleuse, je la voyais bienveillante. Elle m'a chuchoté d'une voix grondeuse : « La nuit dernière, pourquoi vous n'avez pas dit au docteur que vous étiez comme lui ? » Après quelques secondes d'hésitation, j'ai compris qu'elle voulait dire : de son monde à lui. Il avait appris que j'étais étudiante seulement après le curetage, sans doute par ma carte de la Mnef. Elle mimait l'étonnement et la colère de l'interne, « mais enfin, pourquoi elle ne me l'a pas dit, pourquoi ! », comme indignée elle-même de mon attitude. J'ai dû penser qu'elle avait raison et que c'était ma faute s'il s'était conduit violemment : il ne savait pas à qui il avait affaire.

En me quittant, faisant allusion à mon avortement, elle a conclu avec conviction, « vous êtes bien plus tranquille comme ça ! ». C'est la seule parole consolatrice qui m'ait été offerte à l'Hôtel-Dieu et que j'ai dû, moins peut-être à une complicité de femmes, qu'à une acceptation par les « petites gens » du droit des « haut placés » à se mettre au-dessus des lois.

(Si j'avais connu le nom de cet interne de garde pendant la nuit du 20 au 21 janvier 64 et que je m'en souvienne, je ne pourrais m'empêcher maintenant de l'écrire ici. Mais il s'agirait d'une vengeance inutile et injuste dans la mesure où son comportement ne devait constituer que le spécimen d'une pratique générale.)

Mes seins se sont mis à gonfler et à me faire mal. On m'a dit que c'était la montée laiteuse. Je n'avais pas imaginé que mon corps puisse fabriquer du lait pour nourrir un fœtus mort de trois mois. La nature continuait de travailler mécaniquement dans l'absence. On m'a emmailloté le buste avec une bande de tissu. Chaque tour m'aplatissait de plus en plus les seins, comme pour me les faire rentrer à l'intérieur. J'ai pensé qu'ils ne se redresseraient jamais. Une soignante a déposé un broc de tisane sur la table de nuit, « quand vous aurez bu tout ça, vous n'aurez plus mal aux seins ! ».

À Jean T., L.B. et J.B. venus me voir ensemble, j'ai fait le récit de l'hémorragie et de la prise en charge punitive de l'Hôtel-Dieu. Une narration sur le mode de l'humour, qui leur faisait plaisir à entendre — où n'apparaissait aucun des détails dont je n'ai cessé ensuite de me souvenir. L.B. et moi, nous comparions avec jubilation nos avortements. J.B. racontait que l'épicière du coin de la rue lui avait dit que ce n'était pas la peine d'aller à Paris pour avorter, il y avait une femme tout près dans le quartier, qui ne prenait que trois cents francs. On plaisantait sur les cent francs que j'aurais pu économiser. On pouvait rire maintenant des vexations et de la peur, de tout ce qui n'avait pas empêché qu'on transgresse la loi.

Je ne me souviens pas d'avoir lu quoi que ce soit pendant les cinq jours que j'ai passés à l'Hôtel-Dieu. Les transistors étaient interdits. Pour la première fois depuis trois mois, je n'avais plus rien à attendre. Je restais allongée, par la fenêtre je voyais les toits d'une autre aile de l'hôpital.

Les nouveau-nés pleuraient par intermittence. Il n'y avait pas de berceau dans ma chambre, mais j'avais mis bas moi aussi. Je ne me sentais pas différente des femmes de la salle voisine. Il me semblait même en savoir plus qu'elles en raison de cette absence. Dans les toilettes de la cité universitaire, j'avais accouché d'une vie et d'une mort en même temps. Je me sentais, pour la première fois, prise dans une chaîne de femmes par où passaient les générations. C'était des jours gris d'hiver. Je flottais dans la lumière au milieu du monde.

J'ai quitté l'Hôtel-Dieu le samedi 25 janvier. L.B. et J.B. se sont chargés des formalités et m'ont conduite à la gare. De la poste à côté, j'ai appelé le docteur N. pour lui annoncer que c'était fini. Il m'a conseillé de reprendre de la pénicilline — on ne m'avait donné aucun médicament à l'hôpital. Je suis rentrée chez mes parents, prétextant une grippe pour me coucher immédiatement. Je leur ai demandé de faire venir le docteur V. qui soignait toute la famille. Prévenu de mon avortement par le docteur N., il devait m'ausculter discrètement et prescrire la pénicilline.

Sitôt ma mère éloignée, le docteur V. s'est mis à chuchoter avec excitation, voulant savoir qui m'avait fait cela. Ricanant, « pourquoi êtes-vous allée à Paris, vous aviez dans votre rue la mère… [je ne connaissais pas le nom qu'il m'a cité], elle fait ça très bien ! ». Maintenant que je n'en avais plus besoin, il se levait des faiseuses d'anges de partout.

Mais je n'avais aucune illusion, le docteur V., votant à droite et au premier rang à la messe le dimanche, ne pouvait me donner qu'après l'adresse qu'il me fallait avant. Assis sur mon lit, c'est à peu de frais qu'il jouissait de la complicité qu'il avait toujours manifestée à l'égard d'une bonne élève de « milieu modeste », qui passerait peut-être dans son monde.

Un seul souvenir des jours passés chez mes parents, après l'hôpital. Je suis à demi étendue sur mon lit, la fenêtre ouverte, lisant *Poésies* de Gérard de Nerval, dans la collection 10-18. Je regarde mes jambes en collant noir allongées au soleil, ce sont celles d'une autre femme.

Je suis retournée à Rouen. C'était un mois de février froid et ensoleillé. Il ne me semble pas être revenue dans le même monde. Les visages des passants, les voitures, les plateaux sur les tables du restau U, tout ce que je voyais me paraissait déborder de significations. Mais, en raison même de cet excès, je ne pouvais en saisir une seule. Il y avait d'un côté les êtres et les choses qui signifiaient trop, de l'autre les paroles, les mots, qui ne signifiaient rien. J'étais dans un état fébrile de conscience pure, au-delà du langage, que la nuit n'interrompait pas. Je dormais d'un sommeil clair dans lequel j'étais sûre d'être éveillée. Devant moi flottait un petit baigneur blanc, comme ce chien dont le cadavre jeté dans l'éther continue de suivre les astronautes dans un roman de Jules Verne.

J'allais à la bibliothèque pour travailler mon mémoire, abandonné depuis la mi-décembre. Lire me prenait beaucoup de temps, j'avais l'impression de déchiffrer. Mon sujet de mémoire, la femme dans le surréalisme, m'apparaissait dans une globalité lumineuse mais je ne parvenais pas à décomposer cette vision en idées, à exprimer dans un discours suivi ce que je percevais sous la forme d'une image de rêve : sans contours et pourtant d'une réalité irréfutable, plus réelle même que les étudiants penchés sur les bouquins et le gros appariteur rôdant près des filles en train de chercher des cotes dans le fichier. J'étais ivre d'une intelligence sans mots.

J'écoutais dans ma chambre *La passion selon saint Jean* de Bach. Quand s'élevait la voix solitaire de l'Évangéliste récitant, en allemand, la passion du Christ, il me semblait que c'était mon épreuve d'octobre à janvier qui était racontée dans une langue inconnue. Puis venaient les chœurs. *Wohin !* *Wohin !* Un horizon immense s'ouvrait, la cuisine du passage Cardinet, la sonde et le sang se fondaient dans la souffrance du monde et la mort éternelle. Je me sentais sauvée.

Je marchais dans les rues avec le secret de la nuit du 20 au 21 janvier dans mon corps, comme une chose sacrée. Je ne savais pas si j'avais été au bout de l'horreur ou de la beauté. J'éprouvais de la fierté. Sans doute la même que les navigateurs solitaires, les drogués et les voleurs, celle d'être allés jusqu'où les autres n'envisageront jamais d'aller. C'est sans doute quelque chose de cette fierté qui m'a fait écrire ce récit.

Un soir, O. m'a emmenée dans une soirée. J'étais assise au fond de la cave, je regardais danser, étonnée du plaisir des autres dont le visage rayonnant d'Annie L., en robe de laine blanche à la mode cet hiver-là, me redonne le degré. J'étais l'invitée en surnombre d'un rituel dont le sens m'était inconnu.

Un après-midi, j'ai suivi un étudiant en médecine, Gérard H., dans sa chambre de la rue Bouquet. Il a enlevé mon pull et mon soutien-gorge, je voyais mes seins menus et affaissés — ils avaient été pleins de lait deux semaines avant. J'aurais voulu lui parler de cela et de Mme P.-R. Je n'ai plus rien désiré avec ce garçon. Nous avons seulement mangé du cake que sa mère lui avait confectionné.

Un autre après-midi, je suis entrée dans une église, Saint-Patrice, près du boulevard de la Marne, pour dire à un prêtre que j'avais avorté. Je me suis rendu compte aussitôt de mon erreur. Je me sentais dans la lumière et pour lui j'étais dans le crime. En sortant, j'ai su que le temps de la religion était fini pour moi.

Plus tard, en mars, j'ai revu à la bibliothèque Jacques S., l'étudiant qui m'avait accompagnée jusqu'au bus, quand je m'étais rendue pour la première fois chez le gynécologue. Il m'a demandé où j'en étais de mon mémoire. Nous sommes sortis dans le hall. À son habitude il virevoltait autour de moi en parlant. Il allait rendre en mai son mémoire sur Chrétien de Troyes et il se montrait étonné que je commence seulement à travailler. Avec des détours, je lui ai fait comprendre que j'avais eu un avortement. C'était peut-être par haine de classe, pour défier ce fils de directeur d'usine, parlant des ouvriers comme d'un autre monde, ou par orgueil. Quand il a saisi le sens de mes paroles, il a cessé de bouger, ses yeux dilatés sur moi, sidéré par une scène invisible, en proie à une fascination que je retrouve toujours chez les hommes dans mon souvenir.[1] Il répétait, égaré, « chapeau, ma vieille ! chapeau ! ».

---

1. Et que j'ai reconnue aussitôt, immense, chez John Irving, dans son roman *L'œuvre de Dieu, la part du Diable*. Sous le masque d'un personnage, il regarde mourir les femmes dans des avortements clandestins atroces, puis les avorte proprement dans une clinique modèle ou élève l'enfant qu'elles abandonnent après l'accouchement. Rêve de matrice et de sang où il s'adjuge et réglemente le pouvoir de vie et de mort des femmes.

Je suis retournée chez le docteur N. Après un examen minutieux, il m'a dit en souriant, sur un ton d'éloge et de satisfaction, que je m'en étais « bien sortie ». À son insu, lui aussi m'incitait à transformer la violence subie en victoire individuelle. Il m'a fourni comme moyen de contraception un diaphragme à poser au fond du vagin et deux tubes de gelée spermicide.

Je n'ai pas renvoyé la sonde à Mme P.-R. Je pensais que pour le prix je pouvais m'en dispenser. J'ai pris un jour la voiture de mes parents et je suis allée la jeter dans une forêt en bordure de route. Plus tard, j'ai regretté mon geste.

Je ne sais pas quand je suis revenue dans le monde qu'on appelle normal, formulation vague mais dont tous les gens comprennent le sens, c'est-à-dire celui où la vue d'un lavabo étincelant, de la tête des voyageurs dans un train n'est plus une question ni une douleur. J'ai commencé à rédiger mon mémoire. J'ai gardé des enfants le soir et assuré la permanence téléphonique d'un cardiologue pour rembourser peu à peu l'argent de l'avortement. Je suis allée au cinéma voir *Charade*, avec Audrey Hepburn et Cary Grant, *Peau de banane*, avec Jeanne Moreau et Belmondo, des films qui ne m'ont laissé aucun souvenir. J'ai fait couper mes cheveux longs, j'ai remplacé mes lunettes par des lentilles dont l'ajustement sur l'œil me paraissait aussi difficile et hasardeux que celui du diaphragme au fond du vagin.

Je n'ai jamais revu Mme P.-R. Je n'ai jamais cessé de penser à elle. Sans le savoir, cette femme sans doute cupide — mais c'était pauvre chez elle — m'a arrachée à ma mère et m'a jetée dans le monde. C'est à elle que je devrais dédier ce livre.

Pendant des années, la nuit du 20 au 21 janvier a été un anniversaire.

Je sais aujourd'hui qu'il me fallait cette épreuve et ce sacrifice pour désirer avoir des enfants. Pour accepter cette violence de la reproduction dans mon corps et devenir à mon tour lieu de passage des générations.

J'ai fini de mettre en mots ce qui m'apparaît comme une expérience humaine totale, de la vie et de la mort, du temps, de la morale et de l'interdit, de la loi, une expérience vécue d'un bout à l'autre au travers du corps.

J'ai effacé la seule culpabilité que j'aie jamais éprouvée à propos de cet événement, qu'il me soit arrivé et que je n'en aie rien fait. Comme un don reçu et gaspillé. Car par-delà toutes les raisons sociales et psychologiques que je peux trouver à ce que j'ai vécu, il en est une dont je suis sûre plus que tout : les choses me sont arrivées pour que j'en rende compte. Et le véritable but de ma vie est peut-être seulement celui-ci : que mon corps, mes sensations et mes pensées deviennent de l'écriture, c'est-à-dire quelque chose d'intelligible et de général, mon existence complètement dissoute dans la tête et la vie des autres.

Cet après-midi, je suis retournée passage Cardinet, dans le XVII^c. J'avais préparé mon itinéraire avec un plan de Paris. Je voulais retrouver le café où j'avais attendu l'heure d'aller chez Mme P.-R. et l'église dans laquelle j'étais restée un long moment, Saint-Charles-Borromée. Sur le plan ne figurait que Saint-Charles-de-Monceau. J'ai pensé que c'était peut-être la même qui avait changé de nom. Je suis descendue à la station Malesherbes et j'ai marché jusqu'à la rue de Tocqueville. Il était environ quatre heures et il faisait très froid avec un grand soleil. À l'entrée du passage Cardinet, on a posé une plaque neuve. Au-dessus, l'ancienne plaque, noire, illisible, a été laissée.

La rue était vide. Au rez-de-chaussée d'une façade, il y a une grande pancarte, « Association des rescapés des camps nazis et des déportés du département de Seine-et-Oise ». Je ne me souvenais pas de l'avoir jamais vue.

Je suis arrivée au numéro de Mme P.-R. Je me suis arrêtée devant la porte, elle était fermée, avec un digicode. J'ai continué d'avancer dans la rue, au milieu de la chaussée, en regardant vers le fond, la fente de lumière entre les murs. Je n'ai croisé personne et aucune voiture n'est passée. J'avais l'impression de reproduire les gestes d'un personnage sans rien éprouver.

Au bout du passage Cardinet, j'ai tourné à droite et cherché l'église. C'était Saint-Charles-de-Monceau, pas Borromée. À l'intérieur, il y a une statue de sainte Rita et j'ai supposé que j'avais dû lui mettre un cierge ce jour-là parce qu'on disait qu'elle était la sainte des « causes désespérées ». J'ai repris la rue de Tocqueville. Je me suis demandé dans quel café j'avais attendu l'heure du rendez-vous en buvant un thé. De l'extérieur, aucun ne me rappelait quoi que ce soit, mais j'étais sûre que je le reconnaîtrais à ses toilettes, en sous-sol, où j'étais descendue juste avant de partir chez Mme P.-R.

Je suis entrée au Brazza. J'ai commandé un chocolat et j'ai sorti mes copies à corriger, mais je n'ai pas lu une ligne. Je me disais sans arrêt que je devais aller voir les toilettes. Un couple de jeunes s'embrassait en se penchant au-dessus de la table. J'ai fini par me lever et demander les toilettes au barman. Il m'a montré la porte au fond de la salle. Elle donnait directement sur un cagibi avec un lavabo, une glace au-dessus, à droite une seconde porte, celle des toilettes. C'était un vécé à la turque. Je ne me suis pas rappelé si celui du café d'il y a trente-cinq ans était ainsi. À l'époque, ce n'était pas un détail qui aurait pu me frapper, presque tous les vécés publics étant ainsi : un trou dans le ciment avec un pas de chaque côté pour poser les pieds et s'accroupir.

Sur le quai de la station Malesherbes, je me suis dit que j'étais revenue passage Cardinet en croyant qu'il allait m'arriver quelque chose.

De février à octobre 99.

DU MÊME AUTEUR

Aux Éditions Stock

L'ÉCRITURE COMME UN COUTEAU, entretiens avec
Frédéric-Yves Jeannet (« Folio » n° 5304).

Aux Éditions Nil

L'AUTRE FILLE.

Aux Éditions des Busclats

L'ATELIER NOIR.

Aux Éditions du Mauconduit

RETOUR À YVETOT.

Aux Éditions du Seuil

REGARDE LES LUMIÈRES, MON AMOUR (« Folio »
n° 6133, avec une postface inédite de l'auteur).

COLLECTION FOLIO

Composition Floch.
Impression Maury Imprimeur
45330 Malesherbes
le 4 septembre 2019 .
Dépôt légal : septembre 2019.
1ᵉʳ dépôt légal dans la collection : août 2001.
Numéro d'imprimeur : 239365.

ISBN 978-2-07-041923-4. / Imprimé en France.

69 - 1999 revisit Rouen
74-75 : what is memory ?